TEXTES DE LA RENAISSANCE
Sous la direction de Claude Blum
65

ŒUVRES POÉTIQUES

VI

Dans la même collection

(Suite en fin de volume)

Remy BELLEAU

ŒUVRES POÉTIQUES

sous la direction de Guy DEMERSON

VI
ŒUVRES POSTHUMES

(1578)

Édition critique par
Jean BRAYBROOK, Guy DEMERSON et Maurice-F. VERDIER

PARIS
HONORÉ CHAMPION ÉDITEUR
7, QUAI MALAQUAIS (VIᵉ)
2003

www.honorechampion.com

1003498007

T

Diffusion hors France : Éditions Slatkine, Genève

www.slatkine.com

ISBN : 2-7453-0843-2   ISSN : 1262-2842

PRÉFACE AU TOME VI
par G. Demerson.

Notre tome VI rend compte de l'édition posthume des *Œuvres* de Belleau, réalisée par ses amis rapidement après sa mort. Il serait vain de chercher un ordre rigoureux dans cette collection de tout l'œuvre, lyrique et dramatique, déjà édité ou retrouvé dans les papiers de l'écrivain, mais il apparaît que les maîtres de l'ouvrage ont, dans un premier tome, procédé en partant des écrits les plus récents et surtout les plus structurés : d'abord l'essentiel des œuvres reproduites dans notre t. V (écrin des *Pierres Précieuses* enrichi de nouvelles gemmes, *Discours de la Vanité* et *Eclogues sacrées*), puis *La Bergerie* (notre t. IV), elle-même complétée par la traduction des vers des *Phénomènes* qui ne figuraient pas dans la Seconde Journée ; le tome second se clôt sur la publication de la comédie *La Reconnue*, mais la partie lyrique est consacrée à des suites de pièces courtes (notre t. V : *Odes* d'Anacréon, *Petites Inventions* et traductions du latin en français), auxquelles succèdent des poèmes courts inédits, Complaintes et Chansons, Sonnets, Cartels, Odes, Epitaphes et Prières. Soigneusement, les éditeurs ont joint aux traductions la transcription du poème imité, sauf pour la « Traduction » <XVII -6> d'un Baiser, dont la banalité des thèmes défiait toute attribution précise.

Les renvois que nous faisons aux textes déjà présents dans les autres volumes de notre édition font percevoir l'ampleur et la variété de l'œuvre de Belleau, tandis que sont mises en évidence les nouveautés. Ces pièces restées en portefeuille sont loin de trahir la lassitude que l'on s'attendrait à déceler chez un homme accablé par la maladie et proche de sa fin. Ainsi, il n'est pas jusqu'à ses deux ingénieux poèmes latins qui ne témoignent à la fois de sa maîtrise de la rythmique antique et de son ingéniosité à décocher le *concetto*.

Mais, si, comme nous le signalons dans nos annotations, il amplifie volontiers les textes dont il s'inspire, c'est toujours pour illustrer et même pour enrichir une langue française aux innombrables possibilités. La grâce de l'artiste en rythmes et en mots, maître de ses effets, se laisse admirer en mille ingénieuses trouvailles. Même si l'entreprise de donner Aratos au public français a, certes, été interrompue avant de parvenir à sa fin[1], l'inventivité des équivalences entre les effets voulus par le poète grec et les ressources de la langue française produit de beaux vers, solides et suggestifs, dignes de la plus haute poésie scientifique. Plus pittoresque que son modèle, il précise et détaille les silhouettes des figures du zodiaque, nuance délicatement ou violemment couleurs et lumières. C'est le travail complexe du rythme qui évoque le mouvement de reptation sinueuse du Dragon. De même, la description des Pierres précieuses lui donne toujours l'occasion de développer un aspect important de sa poétique : la représentation de formes instables, en train de se modifier, et l'irisation délicate de couleurs changeantes, gorge multicolore d'une colombe, draperie enluminée, flots moirés... J. Braybrook reproduit un jugement d'Henri Chamard qui admire le mythe de la Pierre aqueuse ; ici, des tonalités de féerie nervalienne nimbent d'une atmosphère de rêve une métamorphose où la pitié des Dieux répond aux reproches des Nymphes :

> *tout cela, si frais et si poétique, appartient en propre à Belleau. Il n'est pas jusqu'au choix de ce mètre impair qu'est l'heptasyllabe, qui n'ajoute un charme de plus à ce tableau mélancolique et, par la musique des strophes, ne parachève heureusement la valeur d'art de ce petit chef-d'œuvre.*

Au delà de ce beau travail d'artiste, les pièces nouvelles sont toujours marquées par cette même diversité de formes et de genres qui rendait particulièrement remarquable *La Bergerie* de

---

1 Tel passage qui n'observe pas l'alternance des rimes masculines et féminines diagnostique l'ébauche en cours d'élaboration.

1572. La poursuite des chantiers déjà ouverts[1] se révèle fructueuse.

Des pièces d'une veine ironique, qui n'est pas sans laisser présager celle de Mathurin Régnier, composent de cruelles caricatures dont M. F. Verdier souligne le réalisme. Ce sont les femmes qui, maintenant, jouent le jeu de la séduction, dont est mis en scène le tableau enjoué. Mais vieillesse et maladie ont durement ravagé les traits des beautés d'antan. La satire, plus âcre qu'humoristique, a l'accent désabusé de l'homme qui prend conscience des dégâts de la vieillesse.

Quand le poète dresse encore un portrait lamentable de l'amant désintégré par le mal d'amour, c'est qu'il prend acte lui-même de la pesée qu'opèrent les années sur ses sentiments. L'amour change de visage, et la dérision grince sur un mode nouveau. Un langage dru anime pour l'oreille du lecteur le monologue d'une femme avisée qui ne s'en laisse pas conter par un séducteur entreprenant qu'elle étourdit de sa verve <XIV –8 et 9>.

C'est un poète dont l'inspiration est en train d'évoluer en profondeur que la mort a saisi avant qu'il n'édite sa nouvelle production.

L'invention des Pierres supplémentaires, comme le souligne J. Brayrook, procède d'un génie qui sait aller à l'essentiel, alliant dynamisme et concision ; le sens moral de l'entreprise lyrique est explicitement avoué. Le poète fait maintenant précéder la section *Pierres* par un mythe qui lui est personnel, et où il affirme son souci de placer les Grands face à leurs devoirs éthiques et politiques en une période désolée. Mythographe avisé, il leur rappelle que leurs anneaux, symboles de leur

---

1 Les Epitaphes recueillies dans l'édition posthume ne paraissent pas être de rédaction récente, et il nous semble même que l'Epitaphe triomphale du Duc de Guise est une ébauche antérieure à la rédaction de celle qui a été publiée dans *La Bergerie* de 1565. Pour aider à une comparaison entre les deux versions, voir ci-dessous notre note introductrice à la pièce <XVIII –4>. Le poème posthume ajoute des reproches aux Français, qui s'exposent à la servitude volontaire.

puissance, sont un emblème prométhéen, monition de la punition divine qui frappe les orgueilleux abusant de leur pouvoir, même si ces pouvoirs sont la récompense due à des bienfaiteurs de l'humanité. Cet avertissement sera répété, par exemple dans le poème de la Sardoine, où sont insérées des considérations sur la brutalité des mutations de Fortune, ou dans celui de l'Hématite, condamnation des desseins sanglants qui animent les combattants des deux camps, soucieux de leur pouvoir politique et non de la gloire de Dieu.

Le projet, bien avancé, de terminer la traduction d'Aratos manifeste lui aussi ces préoccupations civiques. De très brèves allusions au mythe de l'Age d'or chez le poète grec donnent lieu à d'amples développements. Un lieu commun horacien, souvent repris à l'époque des guerres civiles en cette fin du siècle, vient en gauchir le sens en faveur des partisans de la paix[1]. C'est avec une tristesse qui confine au désespoir que les deux dernières pièces du recueil de 1578, juste avant l'édition de *La Reconnue*, évoquent le scandale que constitue la déplorable déchéance de la France. A la différence des Discours ronsardiens sur les misères du temps, ces sonnets ne prennent pas l'accent agressif de la diatribe contre les fauteurs de troubles, mais ceux de la repentance et du recours à l'immense pitié du Père céleste : « tout le mal vient de nous ».

Sur le plan formel, Belleau reste fidèle à son goût, que nous avons déjà analysé dans la présentation de *La Bergerie*, pour s'essayer en de nouveaux genres. Il donne ici la preuve de sa géniale faculté à s'adapter aux goûts littéraires de son époque. Ainsi, il contribue à la vogue d'un genre typique de la littérature de cour en composant des Cartels[2] pour le tournoi du 3 juin

---

1 La Priere <XIX -2> s'inspire de l'Ecriture Sainte pour développer le tableau d'une félicité concurrente de celle que promet le mythe païen de l'âge d'or ; avec les Psaumes, il imagine une récompense terrestre.

2 Sur le genre du Cartel, voir ci-dessous la section <XVI>, et Ed. Bourciez, *Les mœurs polies et la littérature de cour sous Henri II*, Paris, Hachette, 1885, p. 17-25 (cartel publié avant ses noces par René de Lorraine, marquis d'Elbeuf, et cartels de Saint-Gelais) ; p. 83-100 ; 225 (influence des

1575. Mais la nouveauté ne se limite pas à l'adoption d'un genre qu'il n'avait pas encore pratiqué ; elle concerne une nouvelle tonalité dominante dans l'œuvre. Ces Cartels ont pour thème la célébration d'un amour chevaleresque, romanesque et mystique, dont la mode se développait précisément en ces pemières années du règne d'Henri III. Belleau se fait l'écho de son temps dans ses méditations lyriques sur l'amour. S'élevant contre les mensonges des faux amours et les fallaces de la vanité, il se réfère, notamment dans le troisième Cartel, à la faculté de jugement, qui a pouvoir de faire dominer la raison et la morale dans la vie sentimentale. Mais, plus profondément, l'exaltation de la passion chevaleresque est justifiée par une mystique déjà chantée dans les Hymnes néo-platoniciens dont les poètes de la Pléiade s'inspirèrent dès leurs premiers essais lyriques : celle de l'Erôs cosmique, vainqueur du chaos primordial, imprimant dans le monde la marque de son origine céleste.

Cette veine n'est pas vraiment nouvelle chez Belleau, mais elle apparaît maintenant comme une dominante des dernières œuvres, par exemple dans le Discours <XIX -1> « Contre l'Amour » : en invoquant les valeurs de sincérité et de constance, l'inspiration antérotique prend les accents de la conversion et du reniement des anciennes déclarations passionnées ; ce n'est pas l'amour à la flèche dorée qui a débrouillé le chaos primordial ; l'enchantement indomptable qui

romans d'aventures, notamment des *Amadis*). – Jacqueline Boucher, *Société et mentalités autour de Henri III*, Lille, 1981, diffusion Champion, p. 1089-1092 (tournois et parties d'armes ; 1106-1108, exaltation des vertus masculines dans le cartel). Ce genre de *desfi*, écrit pour des divertissements de cour en des occasions bien particulières, a trouvé ses lettres de noblesse avec les poètes de la Pléiade, qui ont su en varier et en approfondir les thèmes obligés. Ronsard associe le genre du Cartel à celui de la Mascarade ; il en voit l'origine dans les fictions du roman de chevalerie : « ... Cartels ont prins leur nourriture ... des vieux François, / Qui erroient tout armez par deserts et bois ... L'honneur, des nobles cœurs genereuse poincture, / Les faisoit par Cartels desfier aux tournois, / (Ou nuds en un duel ou armez du pavois) / Ceux qui forçoient les loix, le peuple, et la droicture » (*Eclogues et Mascarades*, Sonnet-préface, Lm XVIII, 240).

subjugue les cœurs n'est pas provoqué par cet Amour des gravures mignardes et des poèmes de cour : l'envoûtement « vient de nous ». Et ce discours pénitentiel se termine sur une prière aux « saintes divinitez » de l'amitié et de la loyauté : la structure et l'esprit de ce mouvement spirituel sont donc tout-à-fait semblables à ceux des sonnets conclusifs, qui détestent la guerre civile en reconnaissant une responsabilité partagée et en se remettant à Dieu. Belleau participe aux préoccupations de son temps. Ses amours prennent un ton plus sérieux au moment où les discordes fratricides assombrissent et endeuillent l'atmosphère.

Jusqu'ici, toutes ses hésitations entre le vertige de la passion et les élans de la vertu, ses attitudes vellétiaires faites de frustrations et de remords[1], pouvaient apparaître comme coquetteries et jeux de rhétorique amoureuse. Maintenant, elles prennent une coloration plus vive et définissent avec plus de netteté une orientation spirituelle. Ainsi s'explique une curieuse pièce <XVIII –1>, où Belleau adopte le genre de l'Epitaphe pour signifier la portée d'un texte qu'il aurait sans doute nettement mis en valeur s'il avait pu réaliser un recueil de ses dernières poèmes : l'Amour sensuel auquel il avait consacré beaucoup de son génie, et auquel était attachée sa réputation de « mignardise », est bien mort, mais il est ressuscité, métamorphosé sous les espèces de l'Amour spirituel : un Passant, représentant le lecteur étonné par une image chargée d'allégories (statue, tombeau, épitaphe, tableau…), interpelle un interlocuteur chargé de lui révéler le sens des différents motifs symboliques. Le premier distique consiste en la récusation des attributs traditionnels d'Amour, panoplie qui a souvent inspiré Belleau[2]. A l'allégorisme psychologique de ces armes et de ce panache doré, symbole du triomphe de la passion, est substitué l'allégorisme spirituel de la couronne des quatre Vertus[3]. Le

---

1 Voir par exemple *Bergerie*, 2ᵉ J., tome IV, xv –16.

2 Entre cent exemples, voir *Bergerie*, 2ᵉ J., xv –21, xv –46, etc.

3 Les Vertus cardinales sont Prudence, Force, Justice et Tempérance (ou Modération). Cicéron (*De Inventione*, II, 240) place Prudence au premier

décryptage mystique du Cantique des Cantiques opéré dans les
Eclogues sacrées (notre tome V) allait dans le même sens que
cette Epitaphe de l'Amour mondain. Cette allégorie donne la clé
des pièces assez nombreuses qu'il gardait en portefeuille,
Adieux à l'Amour[1], voire Baisers remodelés[2], Prières,
traductions de l'Ecriture. *La Bergerie* de 1572 laissait entrevoir
cette évolution, entre les méditations matinales de Job et la
lecture vespérale des amours de David et de son psaume de
repentir, en passant par le gauchissement spirituel de la volupté
des Baisers.

Au moment de sa mort, Remy Belleau passait donc
visiblement par une phase de révision à la fois de son éthique et
de sa poétique : aspiration à la paix, paix de l'âme et paix du
peuple français, méditation sur la spiritualité de l'amour,
confirment le développement d'une tendance qui n'avait cessé
de se faire jour dans son esprit, par exemple avec les Prières de
Job et avec la geste pénitentielle des Amours de David et de
Bethsabée dans *La Bergerie* de 1572. Le lyrisme de Belleau,
dans ses dernières productions, se déploie, dans la dynamique
d'un courant qui s'affirme à l'époque, en une poétique
conjointe[3] de la religiosité et de la prière. Les sizains de la pièce
<XIV -5>, « D'un bouquet envoyé le mercredy des cendres »,

---

rang : elle est la vertu de la science du Bien et du Mal et préside à la mémoire,
à l'intelligence et à la prise en compte de l'avenir.

1 P. ex. dans ce tome, pièces XIV –1 et 2 ou XVI –4, qui affirment la
vertueuse décision d'exorciser des motifs pétrarquisants habituels dans la
poésie amoureuse de la Pléiade. Sur ce type de palinodie ironique concernant
les clichés développés par l'auteur lui-même, voir J. du Bellay, *Contre les
Petrarquistes*, Chm. V, 69.

2 P. ex. dans ce tome, « De la perte d'un baiser de sa maistresse »
(XIV-1). Sur l'importance de la voix dans le Baiser, voir *ibid.*, p. ex. XV- 4 et
Introduction. XV –15 : ce sonnet est un Baiser dans le style de ceux que
Belleau publia dès 1565 ; cf. t. II, pièce XXVI et n. de la p. 86. Il semble par
ailleurs être une variante d'un Baiser paru en 1573 (t. V, pièce VIII -1).

3 Il n'est sans doute pas indifférent que la même métaphore de la nef en
danger termine l'hymne à l'Amour <XIX –2> et ouvre la pièce suivante,
« Prière à Dieu » <XIX –3> : ce lien symbolise la double postulation de la
création poétique de Belleau.

proposent un développement de ton horacien et ronsardien inattendu : le début du Carême chrétien inciterait à considérer la brièveté de la vie sur le ton des prières de Job[1] et non sur celui du *Carpe diem*, et l'insensibilité *post mortem* n'est pas un thème chrétien mais une notion que l'on peut remarquer dans certains Psaumes.

Sa « Priere à Dieu » <XIX -2>, constituée de centons bibliques, est en fait un Psaume où, en présence du Tout-Puissant, il fait le point sur les vérités auxquelles il croit. Le thème du culte dû uniquement au Dieu unique (v. 13-14 ; 21) est essentiel dans cette prière ; il réapparaît avec force aux v. 13-14 et 21.

> *... en luy seul on fonde son espoir*[2].

Il est possible que Belleau laisse paraître filtrer ici une influence de la pensée des Réformés, mais cette notion est évidemment à la base de la spiritualité judéo-chrétienne[3]. Les motifs essentiels de la théologie des évangélistes et de Paul sont affirmés explicitement : « Dieu est notre fort[4] », nous sommes

> *Les enfans siens et luy est nostre pere*[5].

Il est le Juste et le Clairvoyant à qui le péché ne peut échapper, mais sa Parole sainte a réalisé tous les miracles qui ont témoigné de sa bienveillance au long de l'histoire du peuple élu.

> *Donc cil qui l'a au cœur et dans la bouche*
> *Craindre ne doit que le malheur le touche,*
> *Craindre ne doit les couteaux ny les feux :*
> *Car il fait cheoir poil à poil nos cheveux.*

Ces dogmes lyriquement et clairement professés informent la pensée des poèmes composés à cette époque. Il transpose,

---

1   Voir t. IV, 1ère J., pièce I.
2   Ps. 61, 8 : *Spes mea in Deo est* ; cf. Ps. 60, 4 ; Rom. 8, etc.
J. Braybrook met en évidence les éléments bibliques empruntés par le poète en des passages particulièrement vigoureux (p. ex. pour la Pierre aqueuse).
3   I Samuel, 7, 3 : *præparate corda vestra Domino et servite ei soli*.
4   Voir p. ex. I Cor, 11 et 12 ; Eph. 4 et 5 ; Col. 1 et 2.
5   Voir p. ex. Matt. 6, 9.

naturellement, dans le domaine de la foi de ses contemporains, les termes de l'hymne à Jupiter qui constitue le prélude du grand poème d'Aratos, mais il y introduit la notion de grâce ; dans la section relative aux présages de la même œuvre, il développe en neuf vers quatre vers du texte grec pour mettre le lecteur en garde contre la tentation de chercher à percer les secrets de Dieu enclos en son sein. Telle était la leçon des *Pronostications* de Rabelais ou des *Hymnes* du Ciel et des Astres chez Ronsard. La technique du pronostic ne doit pas être séparée d'une conception de la Providence.

De même, les nouvelles Pierres précieuses témoignent de la conception d'une Providence continuellement à l'œuvre dans sa merveilleuse création. Jean Braybrook signale ces connotations religieuses. Elle montre comment l'évocation, charmante et détaillée, des vertus de la Galactite, la Pierre de lait, met l'accent sur l'allaitement, motif important pour la comparaison de Dieu à un hôte qui donne tout et ne rencontre que l'ingratitude ; son analyse de la Pierre aqueuse met en valeur l'intervention de la Providence dans la création des gemmes : de la souffrance et de la mort naît un être durablement renouvelé ; et, pour appuyer sa conclusion, elle rappelle l'interprétation religieuse que Claude Faisant propose pour le poème :

> cette pierre qui pleure interminablement est à la fois Pierre de Douleur et de Compassion [...]. Pierre de rachat et de rédemption, elle devient par là même une sorte d'emblème christique, comme toutes les autres pierres marquées d'un sang divin.

Il est émouvant de suivre Remy Belleau dans son travail de clarification et de mise au point au moment où il achevait sa vie. Cette purification de l'outil poétique est en réalité une gestation de la pensée qui veut progresser en restant contemporaine d'elle-même. Une telle *sincérité*, loin de se disperser en vaines et indiscrètes confidences, est à la fois la marque et le but profondément humain de tout grand lyrisme.

Guy DEMERSON

INTRODUCTION À L'ÉDITION POSTHUME (1578)
par M. F. VERDIER.

Dans l'inventaire, après décès, des biens du poète on peut lire[1] :

> *Item*, ung petit coffre de bahut fermant à clef, dedans lequel fut trouvé plusieurs papiers de poisie [poésie] qui n'ont esté aussi inventoriez, led. coffre de bahut prisé XXV s<olz>. *Item*, une layette [*coffre souvent recouvert de tissu*] blanche, carrée dedans laquelle a esté trouvé plusieurs pappiers qui n'ont esté pareillement inventoriez parce qu'ilz sont de nulle valeur, lad. layette prisé (*sic*) XL s. t. <solz tournois>.

L'expression de « nulle valeur » fait mal, quand on pense aux dernières *Pierres Précieuses*, à la *Reconnue,* aux textes d'Arat et à la cinquantaine de poèmes découverts dans le logis du poète. Mais peut-on la reprocher à ce Pierre Poucelle, sergent royal, priseur vendeur de biens au Chastelet, qui ne s'intéresse qu'au mobilier, à la lingerie et aux vêtements et méprise la poésie ?

Les amis de Belleau (ils étaient nombreux) lui ont élevé un tombeau littéraire, l'année même de sa mort. Mais ils ont fait mieux et rapidement, en s'attelant, quelques mois après, à la publication des œuvres complètes du poète, reprenant tous les recueils et poèmes déjà édités et révélant les textes et vers, sortis des coffres après inventaire. Les deux tomes paraissent en 1578. C'était réaliser là le vœu de l'écrivain, qui avait commencé ce regroupement, dès 1572, dans la *Seconde Journée de la Bergerie* (voir notre t. I, bas de p. 29) et le poursuivra dans les éditions des *Odes d'Anacreon,* au cours des années suivantes (voir la note de G. Demerson, au début du t. V).

---

1 *Minutier central des Notaires – Ronsard et ses amis*, éd. par Mad. Jurgens, P., 1985, p. 219. Juste avant, il est question d'une « layette de bois couverte de cuyr, dedans laquelle fut trouvé plusieurs lectres missives, envoyees aud. defunct Belleau [...] », qui malheureusement ne nous sont pas parvenues.

L'édition paraît à la fois chez Gilles Gilles, et chez Mamert Patisson, au logis de Robert Estienne[1]. Nous reproduisons l'exemplaire de la Bibliothèque Nationale (cote : Réserve pYe 394-395), dont l'intitulé est le suivant : LES ŒUVRES / POETIQUES / DE REMY BELLEAU. / Redigees en deux Tomes / Tome Premier / *Voyez le contenu de ce premier Tome / en la page suyvante* / A PARIS / Pour Gilles Gilles, Libraire, rue de S. Jehan / de Latran, aux trois couronnes. / M. D. LXXVIII. / Avec privilege du Roy[2].

Contenu de cette édition :

TOME I

– Les Amours et nouveaux eschanges des Pierres Precieuses (f° 2-71v°).

– Discours de la Vanité pris de l'Ecclesiaste de Salomon (f° 72-93v°).

– Eglogues sacrées prises du Cantique des Cantiques (f° 94-110v°).

– La Bergerie, divisée en une première (f° 1-82) et seconde Journée (f°82v°-175).

– Apparances d'Arat, poete grec (f° 175v°-190).

TOME II

– Les Odes d'Anacréon de 1556 (f° 1-28v°)
– Les Petites Inventions de 1556 (29-47).
– Les nouveautés des éditions de 1573-74 (47-74), incluant le *Chant de triomphe (Moncontour)* et le *Dictamen*, déjà publiés (f° 55-64 v°).

---

1 Robert Estienne (le 3ᵉ), latiniste et helléniste (voir le *Tumulus*), étant peu tenté par le commerce, la veuve de Rob. Estienne II (1555-71) reprit le flambeau et s'associa avec Mamert-Patisson, qu'elle épousa par la suite.

2 Ce privilège se trouve à une place insolite, à la fin du tome II. « Donné à Blois, le XIᵉ jour de septembre 1571. Signé Nicolas », il avait déjà servi pour la publication de la *Bergerie de 1572* (voir notre t. IV, début). Une seconde édition posthume verra le jour en 1585.

- Les 52 poèmes inédits (74v°-109v°).
- La Reconnue, comédie (110-153).
- Le Tombeau de Remy Belleau (154-159v°).

STRUCTURE DE CETTE ÉDITION

1) Il est surprenant que l'on ait placé dans le t. I les *Pierres Precieuses*, au mépris de toute chronologie et qu'ensuite les éditeurs aient remonté jusqu'en 1572, avec la seconde *Bergerie*. Il est vrai que les contemporains du poète les considéraient comme son chef d'œuvre et par ailleurs il était urgent d'y joindre les dix dernières *Pierres*. En revanche, avec le t. II, on revient à la première publication, la traduction des *Odes d'Anacreon* (qui servent de titre au volume), auxquelles Belleau avait joint les *Petites Inventions,* suivies de tous les poèmes, publiés par la suite, et notamment les créations des éditions de 1573-74.

2) Ce qui est important, c'est que le t. II révèle toutes ses œuvres inédites. Elles sont d'ailleurs rappelées dans l'*Avertissement au lecteur* (début du t. I).

- les dernières *Pierres,* précédées de la traduction en vers du *Discours* en prose de 1576. et d'un poème consacré à *Prométhée*.

- La comédie *La Reconnue*, ce qui prouve bien qu'elle n'a pas été publiée avant la mort du poète[1]. En revanche le fait que Thomas Daré publie, à Rouen en 1604, cette pièce m'incline à penser qu'elle a été représentée alors et même peut-être avant, grâce aux éditions des œuvres de Belleau en 1578, 85 et 92, car pour Chateauvieux et Vallereau le Comte, directeurs de troupes, qui présentaient des comédies en vers français, c'était une aubaine de disposer de textes imprimés.

---

1 Cependant Gouverneur affirme que la comédie a été publiée en 1577 à Paris. Il a sans doute été trompé par un opuscule de la Bibl. de l'Arsenal, constitué par les pages de la pièce, détachées de l'éd. en 85 des œuvres de R. B. et non datées, dont les deux premières ont été inversées, par rapport à celles de l'éd de 1578.

– *Les Apparances celestes d'Arat,* traduction en vers de Belleau, commencée dès 1563 (voir t. III, p. 87), sauf les 259 v. publiés en 1572. Le poète complète ici son travail (605 v. , mais le texte est inachevé) et ajoute les *Prognostiques* et *Presages* du même Arat (268 v.).

– Une cinquantaine de poèmes inédits de toutes sortes, dont quelques-uns seulement sont datés, comme les *cartels* et les *épitaphes,* écrites, on s'en doute, peu de temps après la mort des notables.

QUI SONT LES ÉDITEURS ?

– Dans le texte, *Au Lecteur,* ils sont présentés comme « ses plus familiers amis, gens d'honneur et de vertu, soucieux du renom et de la memoire du defunct ». Il faut donc chercher parmi ses intimes.

– Gouverneur a pensé que ceux qui avaient porté le cercueil de leur ami, à savoir Ronsard, Jamyn, Baïf et Desportes, s'étaient chargés de la publication de l'œuvre de Belleau[1]. Mais le premier, assisté de son secrétaire, était sans doute trop occupé à préparer l'édition de 1578 de ses œuvres.

– Peut-on penser à des jeunes poètes, admirateurs de Belleau, comme Goulu, Robert du Faux et Jean de la Gessée, qui ont cru bon d'écrire des liminaires en tête des *Pierres Precieuse,* ce qu'ils n'avaient pu faire en 1577 ? Une façon de signer leur travail. Mais qui dit Goulu, dit Dorat. Celui-ci, qui a présenté tous les recueils de Belleau, pourrait être le maître d'œuvre, comme pour le *Tumulus.* Mais ce n'est qu'une hypothèse !

– Ont-ils joué un rôle dans l'ordonnance des poésies inédites ? Je ne le crois pas. Belleau prévoyait sa mort. Il avait méticuleusement organisé ses obsèques et dressé la liste de ses dons et de ceux qui devaient en bénéficier (voir t. I, p. 26). Il a

---

1   Gouverneur, *Œuvres de R. Belleau,* t. I, p. XVI.

sans doute procédé de la même façon, regroupant les *Cartels,* les *Epitaphes,* les *Prières* et ses plus beaux *Sonnets.*

– Cependant l'établissement de la Table des matières est l'œuvre des éditeurs, qui rangent sous différentes rubriques, classées par ordre alphabétique et sans souci de la chronologie, *Odes* (sauf celles d'Anacréon), *Chansons, Complaintes,* etc. Nous ne reproduisons pas cette Table des matières, puisque notre Table des *Incipit* indiquera plus commodément le n° des poèmes (sinon, voir Gouv., fin du t. I).

VALEUR LITTÉRAIRE DE CES INÉDITS

– On pourrait croire que ces textes étaient jugés par Belleau non publiables, ce qui se comprend s'il s'agit de vers trop précieux et trop de fois employés.

Mais je crois que, dans l'ensemble, c'étaient des doubles de poèmes envoyés directement ou remis aux familles de défunts, aux Grands, qui lui demandaient des vers pour chanter leur amie ou bien entendu à celle qu'il aimait si profondément et qui lui écrivait parfois.

– Finalement, Belleau est resté maître de son art jusqu'au bout, si l'on néglige la présence dans quelques unes de ses pièces d'inversions de termes, nécessitées, me semble-t-il, par une difficulté à trouver des rimes. Le poète sait introduire de la variété :

1) dans les thèmes : l'amour dans ses bonheurs et dans ses peines, mais aussi la vieillesse, la maladie, la mort, la foi en Dieu,

2) dans les genres : de la satire ordurière (XIV -2) jusqu'aux *Prieres* finales, en passant par les *Cartels,* les *Epitaphes.* Ici c'est une petite comédie en deux sonnets, *D'une Dame* (XIV -8 et 9), là un poème anacréontique et enfin un « Vœu », pour un bon voyage (XV -7),

3) dans les rythmes lyriques : Belleau est toujours en quête de nouveautés. A preuve, deux poèmes hétérométriques, *la*

Nuict (XIV -7) et la *Chanson* (XIV -12), des poésies à rimes uniquement masculines, comme la *Chanson*, XIV -11, enfin des strophes ou 3 rimes masculines sont encadrées par 2 féminines. Et puis il y a la musique du vers, si belle dans *La Nuict,* déjà citée, dans le *Bouquet... des Cendres* (XIV -5), dans *A sa maistresse* (XV -3) ainsi que dans *Sur une Lettre bruslée* (XV - 10 et XV -16).

– Mais ces vers (je pense surtout aux n° de XIV -1 à XV -17) nous font pénétrer dans l'intimité du poète : il évoque ici, pour la première fois, son amour de jeunesse ; il nous confie qu'il a reçu des lettres assez compromettantes pour qu'il les brûle ou qu'on lui arrache. Il n'a pas honte de rapporter les méchancetés proférées par celle qu'il aime, à savoir qu'il est vieux et qu'il doit « matter sa chair et se mettre en priere » (XV -17). Ailleurs il avoue qu'elle lui a interdit de soupirer (XV -9) ou de s'approcher d'elle (XV -5). S'il a permis, en ne les détruisant pas, de publier de tels vers, c'est pour qu'elle comprenne que, même mort, il l'aime encore, et qu'elle doit regretter sa cruauté.

Maurice-F. VERDIER

LES ŒVVRES

POETIQVES

DE REMY

BELLEAV

Redigées en deux Tomes.

TOME PREMIER

A PARIS,

Par Mamert Patisson Imprimeur du Roy,
au logis de Robert Estienne.

M. D. LXXVIII.

AVEC PRIVILEGE DU ROY.

\<PREMIÈRE PARTIE DU TOME I\>

\<I\>

Les AMOURS ET NOUVEAUX ESCHANGES
(Voir t. V, section xv).

\<PIÈCES LIMINAIRES\>

Du Latin de M. de PIMPONT[1].   [5v]

    Comme l'Once escarté, cache dedans la terre,
Jaloux de nostre bien, l'usage de sa pierre :
Ainsi mon cher BELLEAU, dans son coffre poudreux
Couvoit et repressoit sous le silence ombreux
5   Ceste charte emperlée, et les vertus secrettes
Que l'on peut remarquer en ces fines pierrettes,
Seulet voulant jouïr de son ouvrage beau,
Ainsi que le Serpent estoilé sur la peau
Devore sa despouille : Alors je m'encourage
10   Resolu m'opposer à ce commun dommage,
Et ainsi qu'Aristé, garrotant le devin
Les oracles tira du prophete marin,
Je contrains mon Belleau, de force et d'industrie,
A fin qu'en honorant son nom et sa patrie,
15   En fin il mist au jour ce croupissant labeur :
De priere vaincu, de menace et de peur,
Il le met sous la presse, à fin que la memoire
Des siecles advenir m'en donnast quelque gloire.
    Pren doncques le dessein hardiment entrepris
20   Du Poëte, Lecteur, où trouveras compris,
Confusément ensemble et le doux et l'utile :
Appren le lustre beau de la pierre gentile,

L'usage et les vertus qu'il chante en ces beaux vers.
Il les cognoist de race, et luy sont decouvers
25 Ces secrets de naissance et premiere origine,
Nature ne pouvant que d'une pierre fine,
Non d'un caillou commun, faire naistre un Belleau.
J'en appelle à tesmoin ce Dieu porte-flambeau,
Pyrrhe et Deucalion qui les pierres semées
30 Arriere sur le dos, rendirent animées.

Εἰς' εἰκονα τοῦ P. Βελλαιου[1].   [6]

ΟΥ χειρ ανδρα βροτον δυναται πλαστειρα τυπωσαι
Αθανατον· θ'εοειν μηδε γε ζωγραφιη.
Ουδε γαρ αρχαιων βασιληων εικονες ' εισιν,
Ου βρετας'ηρωων μεινε παλαιογονων.
5 Και τον μεν Ροδιων χρονος 'η μαυρωσε Κολοσσον,
Θαυματα της γαιης 'επτα και ηφανισεν.
Εργα μονης'αρετης πυκιναις κεχαραγμενα βιβλοις
Αυτα μενει· κενεη ταλλα δε παντα κονις.
Ενθα δε Βελλαιος παγχρυσιος 'ισταται αυτος,
10   Ηδυμελιφθογγων πληθομενος χαριτων[2].

N. Γουλονιος[3].

In Poëmata REM. BELLAEI[1]   [6v]

AMissum fleret cùm Gallica Musa Marotum,
Sangelasum[2], *atque illos melior quos protulit ætas,*
Bellaïum, patriis Romana Poëmata rhythmis
Miscentem[3], *necnon spirantem magna Perusam*[4],
5 *Et majora suis spirantem mente Jodellum*[5] :
Creditur hoc nuper rupisse silentia questu.
   Túne etiam nostri pars, et rata gloria cœtus,
Túne etiam BELLAEE jaces ? nec inhospita turpi
Mens vitio, charis nec amor virtutibus hospes,
10 *Téque tuósve dies Parcarum*[6] *à lege redemit ?*

I nunc, et longam tibi polliceare salutem,
Aeternósque lares, et colluctabile fatum,
Quisquis es ignari de cœno, et fœce popelli !
Quandoquidem vates, sacris sacra turba Camœnis[7],
15 Dedecus, œrumnas, morbos, nec funera vitant.
    Sic ait : et laniata genas, laniata capillos,
Numina sœva vocat : tristísque, diuque gemiscens,
Errasset, solito velut icta Mimallonis[8] œstro,
Mollia ni justis adhibentes verba querelis
20 Diíque, Deœque omnes, noti, notœque perito
BELLAEO, flentis sedassent tœdia Nymphœ.
    Proxima Cypris[9] adest, famuli monumenta nepotis
Apportans : quœ dum malè tectos prodit amores,
Cantabat vates, malè tecto proditus igni[10] :
25 Huic cum Sylvanis[11], Satyrísque agrestibus, instat
Pan, et ab Amphryso pastor[12] : releguntque vicissim
Quicquid inœquali quondam modulatus avena est[13] :
His comes accedit comitante Cupidine Bacchus,   [7]
Teïa[14] queis gaudet Lyra, quam tractare solebat
30 BELLAEUS, Franco donans sua murmura cantu[15] :
Mox subit, et dives quas parturit India gemmas
Ostentat Juno, regali gemmea luxu[16] :
Quam sequitur sapientis amans Sapientia Regis,
Scripta ferens sanctis quœ Gallus transtulit hymnis[17].
35   Sic unà coëunt, studio, curáque fideli,
È tot dispersis plenum fecêre volumen
Versibus : extinctóque parant dum ferre Poëtœ
Auxilium, (quid enim superûm nequit alta potestas ?)
Et cœlo mentem, et terris lugubre cadaver
40 Eripiunt, gemino pensantes munere mortem :
Inde sua superest BELLAEUS ut integer arte,
BELLAEI corpus librorum in corpore vivit.

                                              J. GESSEUS[18].

Le Pair, qui posseda, merveille ! tout le Monde
Sur la poincte du Roc, qui premier veit le jour,
Apres que le débord des ondes à l'entour
Eut delaissé la terre et hideuse et immonde.
5   Par l'Oracle se fist de ses mains une fonde,
Dont ruant à son doz des pierres tour-à-tour,
En forma son pareil d'un nompareil amour,
Et l'envoya soudain habiter à la ronde[1].
Au merveilleux depart de tant de Damoyzeaux
10   Il sortit un essain des escadrons Nymfaux,
Qui se triant à part tous les autres surpasse.
Mais ces nouveaux Mondains le cuidans outrager,
Les pitoyables Dieux le refeirent changer
Aux Pierres, que BELLEAU sceut elire en Parnasse[2].

PASC. ROB. DU-FAUX[3].

AU LECTEUR. [7v]

JE veux bien t'advertir, gracieux Lecteur, que des Oeuvres de feu Remy Belleau, docte et gentil Poëte François, que tu liras en ce livre, tu en trouveras les unes reveües et advoüées par leur pere dés son vivant : les autres qu'il a laissées en partie reveues, en partie plus negligées, et qui apres sa mort, recueillies par de ses plus familiers amis gens d'honneur et de vertu, soucieux du renom et de la memoire du defunct, m'ont esté baillées toutes telles qu'elles estoyent pour les imprimer. Tu sçauras donc que la traduction des Odes d'Anacreon, et quelques petites inventions qui les suyvent jusques à une traduction de quelques Sonnets en vers Latins, furent mises en lumiere par l'autheur dés son vivant, environ vingt ans auparavant sa mort. Depuis il feit imprimer sa Bergerie, qui est un recueil de divers poëmes qu'il avoit faicts la plus part en sa grande jeunesse, et d'autres en son aage plus meur : lesquels, voulant gratifier les Princes et seigneurs de la maison en laquelle il avoit receu son avancement, leur dediant, il lia par des proses entremeslées, supposant beaucoup d'occasions à son plaisir, comme il est aisé de juger en lisant, ce que j'ay sceu de ses plus in-[8]times. Les Pierres precieuses, excepté les dix dernieres, le discours de la Vanité pris de l'Ecclesiaste, les Eclogues sacrées prises du Cantique des Cantiques, sont les dernieres Oeuvres que environ un an auparavant son decés il meit en lumiere, et ausquelles il avoit mis sa derniere main. Le reste, à sçavoir, les susdictes dix pierres precieuses, quelques sonnets, chansons, et autres petites poësies qui sont sur la fin du second tome, la Comedie, et ce qui est de traduict d'Aratus (sinon ce qu'il en a inseré dans la II. Journée de sa Bergerie, touchant les apparances du Soleil et de la Lune, pour prevoir la disposition du Temps) n'a peu recevoir la derniere lime de l'Autheur, prevenu par la mort. Laquelle toutesfois ne pourra jamais esteindre sa memoire, tellement que son nom ne demeure tant que l'on parlera françois. C'est dequoy je t'ay voulu adviser, amy Lecteur, à fin que tu fusses preparé de prendre comme tu dois chacune de ses Oeuvres pour en juger sincerement et candidement, et pour en sçavoir gré à ses amis, par le soing desquels ce reste t'a esté conservé.

<Ia>

DISCOURS.

RECHERCHANT curieux la semence premiere,
La cause, les effets, la couleur, la matiere,
Le vice, et la vertu de ce thresor gemmeux,
J'ay saintement suyvi la trace de ces vieux
5 . Qui premiers ont escrit que les vertus secretes
Des pierres, s'escouloyent de l'influs des planetes[1] :
Autres plus advisez meuz d'autre opinion,
Renvoyent ceste bourde à la religion
Et mysteres sacrez des prestres de Caldée,
10 Qui ont ceste caballe en l'Egypte fondée,
A fin d'entretenir les peuples ignorans

Sous telles vanitez, et signes apparans,
Pour les espouvanter et les tenir en crainte
De quelque opinion, fust elle vraye ou feinte[2].
15   Mais craignant offenser le reste precieux
Des monuments sacrez, et les cendres des vieux,   [9v]
J'ay bien voulu les suyvre, en imitant la trace
Et les pas mesurez du vieil chantre de Thrace[3],
Non pour vous deguiser dessous un masque feint
20   La simple verité, qui ne se cache point,
Mais bien pour admirer la noble architecture
De ce gemmeux thresor, miracle de Nature,
Qui a mis et renclos d'effets divins et forts
Tant de rares vertus dedans ces petits corps[4].
25   Les grands observateurs et divins interpretes
De la mere Nature, et causes plus secretes[5],
Parlant de la matiere, et premiers elemens
Des pierres que la Terre engendre dans ses flancs,
Disent que celles la qui ne peuvent, solides,
30   Se dissoudre par feu, ny se rendre liquides,
Naissent d'une vapeur et d'une exhalaizon,
Qui est et chaude et seiche, et pure enflammaizon.
       Or s'il estoit ainsi, elles prendroyent naissance
Au plus haut lieu de l'air, où la vive semence
35   Et le germe de feu, prend son accroissement
Plustost que dans la terre, un trop froid Element :
Car le cours viste et prompt des flambeaux ordinaires
Qui roulent dans le ciel par mouvemens contraires
Secheroit la vapeur, et le limon terreux
40   Des pierres, simplement et terrestre et aqueux.
       Aussi s'il estoit vray, ce qu'un autre propose,
Que ce qui naist en terre, et ce qui se compose
Dedans son large sein, est terrestre ou aqueux,
Aqueux comme l'argent, l'or, le cuivre escumeux,
45   Et tous autres metaux, richesse de la terre,

Terrestre et limonneux, ainsi qu'est toute pierre :
Il seroit necessaire, et vray asseurément   [10]
Qu'il ne se feroit pierre au terrestre element
Qui eust le lustre clair, et qui fust pellucide,
50   Estant faite sans plus d'humeur claire et liquide.
Car toute pierre en fin qui a le lustre beau,
Transparant et vitreux, se forme plus de l'eau,
Que de limon terreux, car l'eau la terre donte
Et de sa pesanteur l'affondre et la surmonte,
55   Ne restant rien terreux, car son lustre esclairci
Altere par le chaud le limon espaissi.
Les autres qui ne sont claires ny lumineuses
Sont terrestres vrayment, noires et limonneuses,
L'eau s'estant alterée, et ne restant sinon
60   Dedans ce corps pierreux que terre et que limon.
     Or de ces pierres donc qui n'ont point de lumiere
Noirastres brunissant, la matiere premiere
Est un amas bourbeux, une lente espaisseur,
Un limon detrampé de quelque grasse humeur,
65   Dont naissent celles là qui ne sont transparentes :
Mais les autres qui sont d'outre en outre luisantes,
Et dont le lustre clair passe par le travers
Comme de blanc et verd, d'incarnat, jaune et pers,
Naissent d'un suc aqueux, et d'humeur détrampée
70   Recuitte par le chaud, ou par froid congelée,
Plus aqueuse beaucoup que terrestre, pourtant
Elles ont la couleur et le lustre esclatant.
     Comme dans les rongnons ou dedans la vessie
D'hommes et d'animaux la pierre rendurcie[6]
75   Et le gravois menu se fait par la chaleur,
Et se caille et se prend d'une glueuse humeur.
Ou comme un pot de terre au creux d'une fournaise
S'empierre et s'endurcist aux vapeurs de la braize,   [10v]
Auparavant mollasse, humide et limonneux :

80 Tout ainsi dans la terre aux rayons lumineux
    De ce flambeau doré, les pierres s'endurcissent
    Dans les creux mineraux qui feconds les nourrissent.
        Autre matiere y a qui se caille et se prend
    Se ramassant en l'eau qui en pierres se rend :
85 C'est quand des pierres mesme une raclure tendre,
    Un sablonneux amas, une poudre, une cendre
    Ensemble se rassiet, que le cours violant
    D'un grand fleuve dérobe et ravist en coulant,
    Raclant, minant, sappant, de ses ondes vitrées
90 Des rochers caverneux les costes empierrées :
    Une autre reste encor, qui provient de l'humeur
    Qui suinte des metaux, et durcist d'espaisseur.
    Voila [c]e que je sçay des pierres que Nature
    Brasse dedans les flancs de ceste terre dure.

95   Reste à dire sans plus le lustre clair et beau
    Qui la pierre embellist et qui farde sa peau[7] :
    Telle est donc la couleur, quelle en est la matiere,
    Car s'elle est pure et nette en sa masse premiere,
    Le lustre en sera net, mais s'elle a de l'obscur
100 Elle sera meslée, et brune d'espaisseur.
    Mais sur tout la chaleur qui donne la teinture
    A la matiere mesme est la cause en Nature
    Qui donne la couleur, la grace et le beau teint
    Aux pierres, dont la glace et le visage est peint.
105 C'est doncques la chaleur qui leur donne la grace,
    Et les belles couleurs qui vont dorant leur face,
    Ayant tant de pouvoir qu'elle peut esclaircir
    Le lustre sombre et noir, et le clair obscurcir.
    Aussi selon l'aspect du soleil et des terres,   [11]
110 Et des metaux divers où s'engendrent les pierres
    S'imprime la couleur, autre estant de l'erain,
    Que de l'or, ou du fer, du cuivre ou de l'estain.
    Car où le Soleil bat de sa flamme ordinaire,

Là les pierres se font de couleur verte et noire :
115 Aux lieux sombres et frais, le rouge pourprissant
Donne teint à la pierre, à l'esclat rougissant,
D'un suc fort detrampé, et d'une humeur trespure
Le Crystal prend couleur, et la roche plus dure
Du Diamant se teint d'un suc et d'une humeur
120 Moins claire et plus brunette, et plus basse en couleur,
L'Émeraude se peint d'une humeur verdoyante,
Du rouge le Rubis, à la peau flamboyante,
L'Iris du Crystalin, du violet pourprin
L'Amethyste au beau teint, du bleu le Saphystrin :
125 Le suc fort bigarré fait l'Agathe et l'Opalle,
La Chrysolithe tient de l'humeur jaune et palle :
Ainsi par le Soleil s'affinent les couleurs[8],
Suyvant le lustre fin des premieres humeurs.
Non pas que la couleur emprunte son essence
130 De la pure matiere et feconde semence
Des premiers elemens qui n'ont point de couleur,
Exempts de froid, de chaud, de sapeur, et d'odeur :
Car la couleur en fin se varie et s'altere
Selon l'œil, le mouvoir, l'objet et la lumiere.
135 Combien a de couleurs ce duvet doux et mol,
Qui menu va frizant, et couronnant le col,
La gorge et l'estomach des gentes Colombelles,
Quand aux rais du Soleil vont tremoussant les æles ?
Tantost vous y voyez un pourpre estinceler
140 Comme un feu de rubis, et tantost s'émailler [11v]
Un changeant colombin, et tantost descouvertes
Les naïves couleurs des Emeraudes vertes :
Car l'aspect gauche ou droit, et le bat de nos yeux,
Le mouvement, l'objet, la figure et les lieux,
145 Font changer la couleur, ainsi que la marine
Va blanchissant l'azur de sa large poitrine
Aux soupirs d'Aquilon, couleur qu'on ne peut voir

Sans lumiere, autrement ne se peut concevoir.
Car on ne peut juger par les nuits tenebreuses
150   Quelles sont les couleurs des pierres precieuses
Ny de tous autres corps, qui peints et colorez,
Ne se voyent sinon par les rayons dorez
Du Soleil, c'est pourquoy la couleur apparante
N'est qu'un fard detrampé, qu'une lueur brillante,
155   Variant sur le plain du dessus de la peau
Sans penetrer le corps de son lustre plus beau.
On le voit quand la chose en petites parcelles
Se tire et se distrait, car les couleurs plus belles
S'esteignent peu à peu, et se perdent en l'air :
160   L'or detaillé menu perd son lustre plus clair.
Qui voudroit descharpir d'une escarlate fine
La trame fil à fil, ceste couleur pourprine
Qui belle en son tissu et vive apparoissoit,
S'evanouist desjointe et plus ne s'apperçoit.
165   Les vices remarquez et la faute premiere
De ces pierres de pris, seront quand la matiere
N'est de mesme couleur, car les belles à voir
Une seule couleur sans plus doivent avoir.
Puis c'est un vice grand, quand un ombreux nuage
170   Entrecourant le fond tache leur beau visage,
Brunissant leur beau sein d'une noire espaisseur,   [12]
Comme si au Rubis on voit une noirceur,
Ou dedans l'Emeraude, ou s'on y voit des cendres,
Une nue, un brouillas, des pailles, des filandres,
175   De la rouille, du sel, un grand amas poudreux
Sursemé dans le fond de durillons scabreux,
Ce sont vices marquez en toutes pierres saines[9].
    De leur bonté naïve on fait preuves certaines
Quand la lime rongearde, ou le fray de la queux,
180   Ou le brasier ardant dessus le corps gemmeux
Des pierres de grand pris, ne peut mordre ny prendre :

Il y en a pourtant qui de matiere tendre
Et molle, n'oseroyent l'un ny l'autre approcher,
Tant leur nature est foible et debile au toucher.
185   De celles que le feu, la fonte, et l'artifice,
Contrefait pour tromper, on decouvre le vice :
Car outre que la lime, en ses taillons mordans
Et le fray de la queux se cachent dans ses flancs,
On recognoist à l'œil les fraudes recelées
190   Sous le fard de la peau artistement meslées,
N'ayant rien de gentil, ny d'agreable à voir,
Ne tenant que du verre ou trop clair ou trop noir.
On la juge au toucher, quand on la sent rapeuse,
Sans lustre, sans polli, sous le doigt grumeleuse :
195   Au pois, quand trop legere elle est pour sa grosseur,
Car moins que la naïve elle a de pesanteur.
Celles donc que l'on fait d'une paste gommeuse[10],
Ou qui prennent couleur d'une masse vitreuse,
Se peuvent decouvrir par la lime aisément :
200   Mais il est mal-aisé de juger sainement,
Quand une pierre fine en une autre s'altere.
Comme quand le Saphir par la flamme legere
Perd sa couleur celeste, et se fait Diamant,   [12v]
Le Hyacinth, l'Amethyste en ce mesme element
205   Perd sa couleur naïve et se fait autre pierre
Qu'elle n'estoit sortant fraischement de sa terre.
    Mais que ne fait çà bas l'esperance du gain ?
L'un pour trainer sa vie, et pour tromper sa faim,
Sous un verre menteur qu'il teint et qu'il affine,
210   Ou changeant le Crystal en Emeraude fine,
Pipe les mieux voyans, et les yeux mieux appris
A donner aux metaux, et aux pierres le pris.
    Celles qui sont au fond et creuses et cavées,
Ou les autres qui sont en bosse relevées,
215   Sont de plus petit pris, et de moindre valeur

Que celles que l'on voit d'une egale splendeur :
On fait trop plus de cas de la forme longuette
Qu'on ne fait de l'ovalle, ou de la rondelette,
Mesme de l'angulaire, et tient on pour certain
220   Qu'il n'y a rien plus beau que le long et le plain.
    C'est ce que j'ay glenné de la moisson fertile
Des plus gentils esprits, qui de semence utile
Ont semé, diligens, par ce grand Univers
De ce gemmeux thresor les miracles divers[11].

<Ib>

PROMETHEE, PREMIER   [13]
inventeur des Anneaux et de l'enchasseure des Pierres[1].

    VOUTES de ce grand Ciel, et vous prompts messagers
Qui d'un mol éventail et de souspirs legers
Par quatre coins divers éventez ce bas monde :
Fontaines qui roulez d'une belle et claire onde
5   De haut en contre-val par le trac sablonneux
De ces rochers moussus, ridez et caverneux :
Fleuves, prez, monts et bois, et toy Mer courroucée
De mon triste malheur fierement herissée,
Flots sur flots entassez, raboteux, pleins d'horreur,
10   C'est à vous que je parle, escoutez ma douleur[2] :
Ou si vous n'escoutez du pauvre miserable
La trop juste complainte, O destin imployable,
Fay que je sois ravi d'un tourbillon venteux,
Ou tost frappé du ciel je meure malheureux :
15   Non pour rendre en mourant ma douleur appaisée,
Mais pour n'estre la fable et servir de risée
A la troupe des Dieux, troupe sans amitié,
Trop sourde à ma priere et de peu de pitié.
    Fens toy pour m'engloutir aux plus basses fondrieres

20   De ton sein crevassé en profondes carrieres,
       Terre, trop plus humaine et plus douce cent fois
       Que du ciel ny des Dieux les trop severes loix.
         Vous germe de Tethys[3], Deesses Nereïdes,   [13v]
       Qui dessous les caveaux de vos palais humides
25   Humaines recevez de nous pauvres humains
       Plus doucement qu'au ciel, les larmes et les plains,
       Voyez, je vous suppli, princesses marinieres,
       Mes membres baffouez sur les croupes meurdrieres[4],
       Et sur les flancs cavez de ce roc sourcilleux,
30   Audace de Mercure[5], et colere des Dieux.
       Où pour l'ardeur du jour mes prunelles recuites,
       Mes paupieres sans poil, et mes levres depites,
       Mes membres descharnez, dehallez et noircis,
       Mes boyaux en curée, et mes chauves sourcis,
35   Vomiront contre moy, innocent, incoulpable,
       Un reproche eternel à jamais lamentable :
       Où mes yeux enyvrez et de sang et de pleur
       Rien ne verront d'humain qui trompe ma douleur :
       Où rien plus n'entendray sous les lampes[6] brunetes
40   Des pavillons nuiteux, que les gorges prophetes,
       Les frayeurs, les souleurs des sinistres oyseaux,
       Compagnons conjurez à mes tourmens nouveaux.
        Ainsi poussoit au ciel ses complaintes cruelles
       Le pauvre Promethée, à jamais eternelles
45   Sans le secours divin de ce grand Jupiter,
       Qui fist, meu de pitié, ses peines allenter[7],
       Se souvenant encor que par sa providence
       Il avoit de Thetis refusé l'alliance[8],
       Ruine de son sceptre et de son ciel voûté
50   S'il eust de ces amours suyvi la volonté.
        Donc pour le delivrer mande à son fils Alcide[9]
       Chasser ce carnassier, ce Vautour homicide,
       Qui d'ongles et de bec deschirant, tirassant

Repaissoit son poulmon, du poulmon[10] renaissant   [14]
55   Du pauvre criminel, dont la chair prisonniere
Languissoit sous le fer de la chaisne meurdriere,
Ouvrage de Vulcan[11], mais Hercule soudain
Chasse l'oyseau, la chaisne il froissa de sa main.
Mais le Destin voulut qu'en memoire eternelle
60   Du larcin recogneu de la flamme immortelle
Qu'il avoit prise au char du Soleil radieux[12],
Pour animer subtil son image terreux,
Qu'à jamais dans le doigt porteroit attachée
Dans un anneau de fer, une pierre arrachée
65   Au sommet bruineux du roc Caucasien,
De ses flancs decharnez l'infame gardien[13].
    Voyla donc le premier qui mist la pierre en œuvre
Dans un anneau de fer, industrieux manœuvre[14],
Du fer on vint au cuivre, et à l'estain encor,
70   De l'estain à l'argent, et de l'argent à l'or,
Des pierres d'un rocher aux pierres plus eslites,
Emeraudes, Rubis, Diamans, Chrysolithes :
Et cela qui restoit pour marque d'un malheur,
Des Princes et des Rois fust la gloire et l'honneur[15].

<*Pour les pièces <1> à <21>, voir t. V, section XV>

<I -22>

L'HELIOTROPE[1].   [61]

SOUS les faveurs d'Amour et de ma Calliope[2]
Je chante les regrets de mon Heliotrope[3],
Qui belle me changeoit et rendoit furieux
Ainsi qu'elle vouloit et plaisoit[4] à ses yeux.
5   Ce n'est pas celle-la, qui, de l'Amour outrée,   [62]
Et la vie et la voix perdit elangourée[5],
Paissant neuf jours entiers confite en ses douleurs

Sa pauvre ame escoulée au torrent de ses pleurs.
Triste sans se mouvoir ne bougeoit d'une place,
10   Seulement se tournoit pour œillader la face
Du Dieu qui la dédaigne. Hà qu'il est malheureux,
En trop haut lieu d'honneur qui devient amoureux !
Son corps dedans la terre en racine s'estalle,
Son chef se tourne en fleur de couleur jaune et palle,
15   Qui regarde, importune, et couchant et levant
Ce Dieu au crin doré qu'elle va poursuivant.
    Mais celle que je chante est une autre Deesse[6],
Qui, belle, ensorcela la fleur de ma jeunesse :
Elle changeoit le cours des argentins ruisseaux,
20   Et des flancs des rochers faisoit sourdre les eaux :
Tiroit du ciel voûté la Lune ensorcelée,
Ternissoit du Soleil la lumiere estoilée,
Donnoit parole aux morts, et de nerfs empruntez
Les guindoit sur les vents legerement portez,
25   Faisoit ouvrir la terre, et des bieres poudreuses
Rallumoit des corps morts les cendres paresseuses[7],
Begayant, murmurant, du souterrain caveau
Invoquoit de la Nuit l'effroyable troupeau[8] :
Puis arrosé de lait, coy le faisoit retraire
30   Dans le palais fatal du tenebreux repaire.
Aux jours les plus ardens de la belle saison
Couvroit les champs vestus de negeuse toison,
Seule domtoit l'orgueil et l'apparence fiere
Des mâtins affamez de la triple courriere[9],
35   Seule sçavoit au vray les secrets Medeans[10],
Et par jus distilez rajeunissoit les ans.   [62v]
Mais la troupe des Dieux trop aigrement marrie
De se voir imiter par humaine industrie,
Encor qu'Heliotrope onques n'eust abusé
40   De l'art dont on pensoit qu'elle eust par trop usé,
Dépitez et jaloux aussi tost la changerent[11],

          Et en ce dur caillou sa figure estrangerent :
          Luy laissant toutesfois tous les effets premiers
          Que vivante elle avoit par ces charmes sorciers :
45   Sans plus elle perdit la parole et la grace
          Que ses rares beautez monstroyent dessus sa face,
          Et ses yeux messagers des allechans attraits,
          Où nichoyent les Amours bien armez de leurs traits.
          Je le sçay quant à moy, qui navré de leurs pointes
50   En porte dans le cœur les piqueures empraintes :
          On le voit à mon front, on le voit à mes yeux,
          Gros et pleins du venim qui me fit langoureux[12].
             On la trouve dans Cypre, ou dans l'Ethiopie,
          Ou és sablons menus des deserts de Libye
55   De couleur verdoyante, ainsi que l'on voit peint
          De l'Emeraude fine et la face et le teint[13].
          Elle a dessus la peau comme petites veines
          De vray pourpre sanguin rougissantes et pleines.
          Ayant tant de pouvoir, que mise en un bassin
60   Plein d'eau jusques aux bords (ô miracle divin !)
          Elle rend du Soleil la face venerable
          Rouge et teinte de sang, tant elle est admirable :
          Le tournant, le changeant, et luy donnant couleur
          Telle comme il luy plaist, ou rougeur, ou palleur,
65   Brunissant d'espaisseur et de nue cendrée
          De ce Dieu radieux la perruque dorée :
          Espreignant et tirant des esponges de l'air   [63]
          La pluye, le broüillas, le tonnerre, et l'esclair :
          Faisant sourdre à boüillons d'escume blanchissante
70   L'eau dedans le bassin qui dormoit languissante[14],
          Contr'imitant la mer, quand les fiers Aquilons
          Vont boursouflant le dos des venteux tourbillons,
          Restant espouvantez ceux qui de ceste pierre
          Reconnoissent à l'œil les secrets qu'elle enserre,
75   Tant ce Dieu grand et fort dedans ces petits corps

Manifeste, puissant, ses effets grands et forts[15].
Et comme en un miroir s'imprime la lumiere
Des rayons du Soleil, ainsi sur la liziere
De ceste pierre belle aisément on peut voir
80   Le jour où le Soleil en eclipse veut choir[16].
    Et quoy ? cil qui la porte, a pouvoir sans augures
D'ailes, ou de gesiers, sur les choses futures :
A pouvoir d'arrester le flux qui va coulant
Sans tréve et sans repos le boyau travaillant :
85   A pouvoir rendre sain le corps foible et malade,
Descouvrir du poison la secrette embuscade,
Se guarir de la peur, s'honorer d'un beau nom,
Favoriser ses ans d'un immortel renom,
N'estre jamais pipé, n'estre point de nature
90   Pour se laisser gaigner de legere imposture[17].
    Voyla d'Heliotrope et la force et l'effet
Des miracles divins, que sacrée elle fait[18].

<I -23>

LA PIERRE LUNAIRE,

ditte Selenités ou Ἀφροσεληνος[1].   [63v]

ET toy pierre, qui vas croissant[2],
    Rajeunissant et vieillissant[3],
    Ainsi que la viste courriere
    En ses déguisemens nouveaux,
5   Qui meine au galop ses moreaux
    Au ciel, par la noire carriere[4],
Resteras-tu sans quelque honneur ?
    Non non, je seray le sonneur
    De tes vertus, pierre gentille,
10   Et diray en mes vers comment
    Par un secret enfantement
    De la Lune on te pense fille.

Car si dessous un air serain
 La Lune a le visage plein,
15 Ceste pierre est pleine et entiere :
 S'elle est en son croissant nouveau,
 La pierre croist, enfle sa peau :
 Cheute en decours, elle s'altere[5].

Or on conte que de l'humeur
20 De l'escume et de la sueur
 De la Lune, elle prist sa vie[6],
 Lors qu'en Latmie s'escartant
 Ses baisers alloit departant
 Au dormeur qui l'avoit ravie[7].

25 Puis ce qui renaist de la mer,
 Du feu, de la terre, et de l'air,
 Est une entresuitte eternelle :   [64]
 Rien ne perit, tant seulement
 Par un secret eschangement
30 Reprend une forme nouvelle[8].

La terre se détrempe en eau,
 Dont le plus net et le plus beau
 Se fait air, ce qui se peut traire
 De l'air plus subtil se fait feu,
35 Puis s'espaissit, et peu à peu
 Retourne en sa masse ordinaire[9].

De là se retrame le cours,
 Et l'ordre qui roule tousjours,
 Des corps, que ceste mesnagere
40 Nature défait et refait,
 Tant seulement change le trait
 Et l'air de l'image premiere.

Bref, au monde rien ne se pert,
 Tout s'y mesnage, tout y sert :
45 De la mort vient la renaissance,
 L'un de l'autre emprunte le corps,

Puis mourant, par nouveaux accors
Recherche nouvelle alliance[10].
Or ceste pierre a le pouvoir
50   De faire aisément concevoir
L'amour d'une maistresse belle,
S'on la porte en nouveau croissant
On dit qu'elle va guerissant
Et le poulmon et la ratelle[11].
55   Elle est blanchissante en couleur
Dessous un petit de rousseur[12],
Elle est en fueillage estendue[13],
Son lustre est clair et transparant,   [64 v]
L'Arabe la va retirant
60   Du fond de l'arene menuë[14].

<I -24>
LA PIERRE INEXTIN-
guible, ditte Asbestos[1].

JE chante la pierre sacrée,
Qui devant Venus la sucrée[2]
Flamboye en son temple divin,
Sans que point elle diminue,
5   Mais qui nuit et jour continue
Bruslant sans jamais prendre fin[3].
Feu que la tempeste cruelle,
La pluye, le vent, ny la gresle
Jamais n'esteint, quand une fois
10   D'autre flamme elle a pris amorce,
Tousjours ardant sans que sa force
Se consomme ainsi que le bois[4].
De tel feu mon cœur et mes veines
Au lieu de sang sont toutes pleines :
15   C'est un feu qui brusle tousjours,

Un feu couvert qui prend croissance,
Et qui de nerf en nerf s'avance
Comme s'avancent mes amours.
Mais mon ardeur est si couverte,
20   Que pour mieux publier la perte
Et le dechet de mes beaux ans,
Fussé-je d'une roche ardente
Pour rendre ma flamme evidente   [65]
25   Aux yeux des mal-traitez amans[5].
On la fouille dans la rochade
Des monts sourcilleux de l'Arcade[6],
Qui s'en sert comme d'un flambeau[7] :
Elle est de couleur brunissante,
30   Comme une lame pallissante[8]
De l'acier teint en couleur d'eau.
C'est trop servi ceste Deesse[9],
Va te ranger pres la maistresse
Qui me dérobe le beau jour :
35   Va, Pierre, et rechaufe son ame
Qui s'echaufe de toute flame,
Hors-mis de celle de l'Amour[10].

<I -25>

LE BERIL

LE Beril que je chante, est une pierre fine[1],
Imitant le verd-gay des eaux de la marine[2],
Quand les fiers Aquilons mollement accoisez
Ont fait place aux Zephyrs sur les flots reposez :
5   Quelquefois le Beril a la face dorée
Comme liqueur de miel fraischement espurée[3],
Dont le lustre est foiblet s'il n'est fait à bizeau :
Car le rebat de l'angle haulse son lustre beau

Autrement languissant, morne et de couleur paille,
10   Sans les rayons doublez que luy donne la taille[4].
    Le meilleur est celuy dont le visage peint
De l'Emeraude fine imite le beau teint[5] :   [65v]
Seul le rivage Indois le Beril nous envoye[6],
Soit ou verd ou doré : pour les durtez du foye
15   Et pour le mal des yeux il est fort souverain,
Les souspirs trop hastez il appaise soudain,
Le hoquet et les rots[7] : entretient le mesnage
De l'homme et de la femme és loix de mariage :
Il chasse la paresse, et d'un pouvoir ami
20   Il rabaisse l'orgueil d'un cruel ennemi[8].
    Beril, je te suppli, si telle est ta puissance,
Chasse nostre ennemi hors les bornes de France,
Trop le peuple François a senti les efforts
De son bras enyvré du sang de tant de morts[9].

<I -26>
LA PIERRE AQUEUSE,
ditte Ενυδρος[1].

C'ESTOIT une belle brune
    Filant au clcr de la Lune,
    Qui laissa choir son fuseau
    Sur le bord d'une fontaine,
5   Mais courant apres sa laine
    Plonge la teste dans l'eau,
Et se noya la pauvrette[2] :
    Car à sa voix trop foiblette
10   Nul son desastre sentit[3],
    Puis assez loing ses compagnes
    Parmi les vertes campagnes
    Gardoyent leur troupeau petit.   [66]
Hà trop cruelle adventure !
15   Hà mort trop fiere et trop dure !

Et trop cruel le flambeau
Sacré pour son Hymenée,
Qui, l'attendant, l'a menée
Au lieu du lit, au tombeau.
20   Et vous Nymphes fontainieres
Trop ingrates et trop fieres[4],
Qui ne vinstes au secours
De ceste jeune bergere,
Qui faisant la mesnagere
25   Noya le fil de ses jours[5].
Mais en souvenance bonne
De la bergere mignonne,
Esmeus de pitié les Dieux,
En ces pierres blanchissantes
30   De larmes tousjours coulantes,
Changent l'émail de ses yeux[6].
Non plus yeux, mais deux fontaines,
Dont la source et dont les veines
Sourdent du profond du cueur :
35   Non plus cueur, mais une roche
Qui lamente le reproche
D'Amour, et de sa rigueur[7].
Pierre tousjours larmoyante,
A petits flots ondoyante,
40   Seurs tesmoins de ses douleurs[8] :
Comme le marbre en Sipyle
Qui se fond et se distile
Goutte à goute en chaudes pleurs[9].
O chose trop admirable,   [66 v]
45   Chose vrayment non croyable[10],
Voir rouler dessus les bords
Une eau vive qui ruisselle,
Et qui de course eternelle
Va baignant ce petit corps.

50   Et pour le cours de ceste onde[11]
        La pierre n'est moins feconde
        Ny moins grosse, et vieillissant
        Sa pesanteur ne s'altere :
        Ains tousjours demeure entiere
55   Comme elle estoit en naissant.
    Mais est-ce que de nature
        Pour sa rare contesture
        Elle attire l'air voisin,
        Ou dans soy qu'elle recelle
60   Ceste humeur qu'elle amoncelle
        Pour en faire un magazin[12] ?
    Elle est de rondeur parfaitte,
        D'une couleur blanche et nette,
        Agreable et belle à voir.
65   Pleine d'humeur qui ballotte
        Au dedans, ainsi que flotte
        La glaire en l'œuf au mouvoir[13].
    Va pleureuse[14], et te souvienne
        Du sang de la playe mienne
70   Qui coule et coule sans fin,
        Et des plaintes espandues
        Que je pousse dans les nues
        Pour adoucir mon destin[15].

<I -27>

LA GAGATE[1].   [67]

    C'EST trop vanté les honneurs de l'Agathe,
Je veux chanter maintenant la Gagate[2],
De son odeur qui chasse le serpant,
Dessus le ventre et glissant et rampant
5   Pli dessus pli de son alleure torte

A dos courbé, voguant de mesme sorte
Qu'une galere, ou comme on voit en mer
Flot dessus flot les ondes s'animer,
Frizant, crespant d'une ondoyante suite
10   Dessus les bords leur escume despite[3].

Donc ceste pierre a si mauvaise odeur,
Que les poulmons yvres de sa vapeur,
Par les nazeaux ayant prise et humée[4]
Ceste fascheuse et puante fumée,
15   Perdent le vent et bouchent les espris
De ceste odeur estouffez et surpris[5].

Doncques premier que vanter cette pierre,
Et la senteur qu'en ses flancs elle enserre,
Ma chere Muse, arrose de ton eau
20   L'ancre sacré, et les vers de Belleau,
Arrose luy les temples et la face
Du doux parfum qui coule de ta grace[6].

Or la Gagate est de noire couleur,
Tendre, fragile, et presque de l'odeur
25   Du soulphre vif, et de forte teinture,
De poix legere, et d'estrange nature[7].
Car dedans l'eau aussi soudain prend feu,
Et dedans l'huile elle meurt peu à peu[8].   [67 v]
Recuitte en vin elle est fort souveraine
30   Au mal des dents[9] : de sa puante haleine
Elle provoque, et fait couler les fleurs
Sans se purger qui font mille douleurs[10].
Mise en onguent avec cire nouvelle
Elle guarist et purge l'escroüelle[11].
35   S'il doit escheoir ce qu'on desire avoir
On dit pour vray qu'elle ne peut ardoir[12].
Bonne est l'odeur pour le mal de la mere[13],
Bonne à scavoir si la vierge est entiere[14],
Bonne à juger l'homme melancholiq[15]

40   Et découvrir le cerveau lunatiq[16].
     Elle se trouve au Lycien rivage
     Et dans les eaux du grand fleuve de Gage,
     Dont elle emprunte et la gloire et le nom,
     Et les vertus d'un immortel renom[17].

<I -28>

LA SARDOYNE[1].

     JE chante la fortune et l'heur de ce Pirate,
     La gloire de Samos, ce tyran Polycrate,
     Qui voulant esprouver par l'infelicité
     Les contraires effets de la prosperité,
5   Enyvré de plaisir, n'ayant oncq en sa vie
     Fait preuve du malheur, ny des traits de l'envie,
     Fait voile en haute mer, allumé d'un desir
     De braver son bonheur de quelque desplaisir[2].
     L'anneau qu'il aimoit mieux que thresor ny chevance
10   N'autre chose de pris qu'il eust en sa puissance,   [68]
     Plonge, meu de colere, au plus profond de l'eau,
     Sans jamais esperer de revoir son anneau[3].
     C'estoit une Sardoine artistement gravée[4],
     Et dont luymesme avoit mille fois esprouvée
15   La force et la vertu : mais (l'heur de ce malheur !)
     Il fut pris un poisson d'une extreme grandeur,
     Qui nay pour le tyran, et donné pour viande,
     Et pour nouvel appas de sa bouche friande,
     Portoit enseveli dans le pli du boyau,
20   Dans sa cuisine ouvert, la Sardoyne et l'Anneau
     Qu'il rendit à son Roy. Ainsi fut recouverte
     Par un nouveau hazard la chance de sa perte[5] :
     Tant la main de Fortune a sur nous de pouvoir
     Tournant et revirant le monde à son vouloir.
25   Ceste Sardoine donc a couleur incarnate,

Resemblant à la chair qui vivement esclate
Sous l'espesseur de l'ongle, elle a comme un cerceau
De couleur blanchissante à l'entour de sa peau[6].
Elle est blanche noirastre, et de couleur pourprée
30   Comme le vermillon[7], ou l'aire bigarrée
De l'arc qui ceint le ciel[8], empruntant en couleur
De l'Onyx, de la Sarde, et la grace et l'honneur :
Et bref toutes les trois sont une mesme pierre[9],
Mais l'Onyce est obscure, et l'autre ainsi que verre
35   Est claire et pellucide, et voit-on au travers :
Ceinte confusément de trois cercles divers
Elle rend l'homme chaste, et plein d'humble caresse
Rabaisse de l'orgueil la superbe hautesse[10].
   La Sardoyne se trouve és rivages Indois,
40   Et l'Arabe la trouve en son riche gravois[11].

<I -29>

LA PIERRE D'AZUR,   [68v]
   dicte Lapis l'Azuli.

PUIS donc que ma Maistresse porte
      La parure de mesme sorte,
      Et de mesme couleur que toy[1],
   Pierre d'Azur[2], je te veux dire
5   Trois petits vers de mon martyre,
      Et de mon amoureux esmoy.
C'est que plus je fais conte d'elle
      Plus vers moy se monstre rebelle,
      Plus je la suy, et plus me fuit :
10   Plus pour elle saigne ma playe,
      Plus de l'ouvrir elle s'essaye :
      Plus l'abandonne, et plus me suit[3].
Mais Pierre ne sois babillarde,
      Contente toy que je te garde

15   Pour seur tesmoin de sa rigueur :
           Bien te veux asseurer qu'au reste
           Ma Maistresse est toute celeste,
           Ainsi que tu l'es en couleur.
      Mais pour decouvrir ta nature,
20   Comme le Jaspe tu es dure,
           Tu reçois taille ainsi que luy[4],
           La plus riche est la Scythienne,
           L'Egyptienne et Cyprienne
           La vont secondant à l'envy[5].
25   La plus rare et plus estimée,
           Est celle qu'on voit sursemée   [69]
           De poudre d'or estinceller,
           Ainsi que par la nuict ombreuse,
           On voit de la troupe estoilleuse
30   La flamme vivement briller[6].
      Elle est de couleur Saphistrine,
           Plaisante, celeste, azurine
           Comme le ciel en temps serain[7].
           Pour purger la melancholie,
35   Et guarir la veuë affoiblie
           L'usage en est fort souverain[8].
      Elle arme la foible jeunesse
           Pendue au col, de hardiesse,
           Contre les souleurs de la Nuict[9] :
40   Et fait bien, tant elle est humaine,
           Que la femme accouche sans peine
           Et se descharge de son fruict[10].
      Va Pierre, va trouver Madame,
           Et l'asseure que ma pauvre ame
45   Pour elle est en piteux arroy :
           Et si peux domter sa furie,
           Tu feras par ton industrie
           Pour elle beaucoup, et pour moy[11].

<I -30>

LA PIERRE SANGUINAIRE
dicte Hæmatités[1].

CE nom de sang ne m'est point agreable,   [69v]
Il m'est funeste et l'ay pour execrable,
Voyant les bourgs, les villes et les ports
Rouges de sang et palles de corps morts.
5   Desja vingt ans[2] ont couru leur carriere
Que nostre France et guerriere et meurdriere
Endure, et voit, de ses propres boyaux
Faire curée aux loups et aux corbeaux[3].
Mais, ô Seigneur, destourne ta vengeance
10   Et jette l'œil dessus ta pauvre France,
Qui t'en supplie, et d'un visage doux
Trampe l'aigreur de ton juste courroux.
Fay fay, Seigneur, que les fureurs civiles
N'attisent plus le feu dedans nos villes,
15   Et que les cœurs de nos Princes sacrez
Soyent tous unis, alliez et serrez
De tel lien, que le temps ny l'envie
Ny la rancueur, l'heur, ny la jalousie
Ne puisse rompre, ains demeure à jamais
20   Et ferme et fort sous une douce paix[4].
Assez et trop avons preuve certaine
Des grands effects de ta main souveraine,
Si de long temps tu n'as sillé les yeux[5],
Mesmes aux grands[6], qui dedaignent les cieux,
25   Ne connoissant par les puissances hautes
Le lac comblé du bourbier de leurs fautes,
Vivant, souflant, et marchant à tatons,
Aveugles-nez, contrefaits, avortons[7],
Qui ne sentez les pointes que nous darde

30   Son bras vengeur, qui nous tue et nous garde
     Comme il luy plaist, maniant sous le frain
     De l'univers et le vuide et le plain.   [70]
       Que pleust à Dieu, que ceste pierre belle
     Eust pris en soy toute l'humeur cruelle
35   De nostre France, à fin de la purger
     Du sang meurdrier où se va replonger[8].
       Car ceste pierre, ores que sanguinaire
     De nom sans plus, est douce et debonnaire,
     Mise ici bas pour le secours humain,
40   Et pour servir la Nature au besoin[9],
     Non pour espandre et le sang et la vie
     Au fer tranchant d'une troupe ennemie[10] :
     Propre à domter et l'ire et la fureur,
     Avoir des grans la grace et la faveur[11],
45   Tirer le feu des yeux et des paupieres[12],
     Miner la chair qui croist sur les ulceres[13],
     Propre à celuy qui crache le sang pur[14],
     Bonne à purger toute mauvaise humeur :
     Et dit on plus, que dedans la vessie
50   Elle dissoult la pierre rendurcie,
     Si mise en poudre avec un peu de vin
     Fort detrampée, on la boit au matin[15] :
     Le flus de ventre elle arreste benine,
     Elle guarist de la dent serpentine
55   Le mors cruel, chasse l'air ombrageux
     Du voile espais qui flotte sur les yeux[16] :
     Elle amortist le feu de toute playe,
     Et ramollist les duretez du foye[17] :
     Bonne au combat pour demeurer vainqueur[18],
60   Et pour jamais n'avoir faute de cueur.
       Elle se trouve és sablons recelée
     Des champs hallez de l'Afrique brulée[19] :
     Hors et dedans elle est rouge en couleur,   [70v]
     C'est d'Hematite et la force et l'honneur[20].

<I -31>

LA PIERRE LAICTEUSE
dicte Galactités[1].

JE serois trop ingrat, ayant tiré ma vie
Des serres de la mort qui me l'avoit ravie[2]
Sans le secours du laict, si du laict ne chantoy
La puissance et l'effect, dont j'ay fait preuve en moy.

5   Je ne veux commencer par la trace laicteuse
Qui paroist dans le ciel, lors que l'ombre nuiteuse
Decouvre en temps serain les feux qui sont aux cieux,
Droit chemin pour entrer dans le palais des Dieux :
Qui fut lors que Junon par le ciel vint espandre

10   Comme un torrent de laict, quand de la levre tendre
Honteuse retira le bout de son tetin
D'un bastard supposé qu'on nommoit Herculin[3].
Car le vouloir chanter, c'est charge trop pesante
Pour le dos affoibly de celuy qui le vante :

15   Mais s'il peut une fois rendre force à ses ners,
Je te jure, devot, par l'ame de mes vers,
Et par le Delien qui sa fureur m'inspire[4],
De te chanter, ô Laict, sur les nerfs de ma lyre.
Car si quelque soupir reste encor dedans moy

20   Pour vivre ou pour chanter, à toy seul je le doy[5].
Seulement je diray les vertus de la pierre[6]
Qui derobbe ton nom, et dans ses flancs enserre
Comme un poudreux amas, qui trampé dedans l'eau
Se caille et se blanchist comme le laict nouveau[7],   [71]

25   Retenant sous le frais de sa pierreuse escorce
Une vertu secrette, un pouvoir, une force,
Qui seroit, n'estant veuë, incroyable aux humains,
Si de la voir à l'œil ou toucher de leurs mains
Ou d'esprouver sa force ils n'avoyent cognoissance.

30   Hommes outrecuidez, enyvrez d'ignorance,
      Qui pensans tout sçavoir, ne recognoissent tous
      La moindre des vertus qui naissent entre nous,
      Soit au ciel, soit en l'air, sur terre, ou dans les ondes,
      Ou és boyaux dorez des minieres profondes[8] :
35   Et disent estre faux ce qu'ils ne sçavent pas,
      Impudens, effrontez, mendieurs de repas,
      Qui souls et bien gorgez se mocquent de leur hoste,
      Médisant de celuy qui n'a rien qui ne s'oste
      Pour traiter, liberal, l'imposture et l'erreur
40   De ce fat qu'il admire, et n'est qu'un imposteur[9].
      Or ceste pierre donc qu'on appelle Laicteuse
      Fait enfler le tetin de l'humeur gracieuse,
      Qui arrose en maillot la levre des enfans[10],
      Et qui les nourrissant fait accroistre leurs ans.
45   Car si l'on recognoist que ceste humeur tarisse
      Comme il advient souvent au sein de la nourrisse,
      La beuvant detrampée à jeun, sortant du bain,
      Elle devient feconde, et rend son tetin plein[11].
        Ou faut percer la pierre, et d'un cordon de laine
50   Prise dessus le dos d'une brebis ja pleine,
      L'enfiler proprement, et te la pendre au col
      Nourrice, et tu verras ton tetin flacque et mol
      Soudain goufle de laict, et sentiras estendre
      La peau qui flestrissoit et commençoit à pendre[12].
55   Si tu veux que le pis de ton jeune troupeau   [71v]
      Ne tarisse jamais, et que de lait nouveau
      Il foisonne en tout temps, il faut que tu nettoyes
      Et laves bien le tect : et puis que tu poudroyes
      Le fond de sel menu, alors que le Soleil
60   Redore le matin de son pourpre vermeil[13] :
      Puis broyant ceste pierre et la mettant en poudre
      Avec eau de fontaine, à fin de la dissoudre,
      Tourné vers le levant arrose bien le tect,

Tu verras ton troupeau gras et goufle de lait[14],
65   Et qui plus est encor, ô chose trop celée,
Bien purgé du pourri et de la clavelée[15],
Bien revestu de laine, et fecond et gaillard,
Franc des regards sorciers, et tout autre hazard.
S'il est vray ce qu'on dit (chose digne de gloire)
70   Que d'un mauvais vouloir tu trompes la memoire,
Et que cil qui te porte en la bouche n'a plus
Souvenance du mal, de cervelle perclus[16].
Pleust à Dieu que ceux-là qui ne sont en la France
Que pour se souvenir de meurdre et de vengeance[17],
75   Te portant sous la langue eussent entierement
La memoire égarée avec le sentiment.
Le Nil et l'Achelois grands fleuves [de la] terre
Dans leur sein limonneux nourrissent ceste pierre,
De couleur blanchissante et de mesme saveur
80   Que le lait, des enfans le pere nourrisseur[18].

FIN DES AMOURS ET NOUVEAUX ESCHANGES
des Pierres precieuses.

<II>   [72]

DISCOURS DE LA VANITE

(*voir t. V, section XVII)

<III>   [94]

ECLOGUES SACREES

(*voir t. V, section XVIII)

<DEUXIÈME PARTIE DU TOME I>

<IV>   [1]

LA BERGERIE

(*voir t. IV)

<V -1>   [175]

LES APPARENCES CELESTES D'ARAT

poëte Grec.

Par le grand Jupiter il nous faut commencer[1],
Jamais sans estre dit ne le devons laisser
Nous hommes d'ici bas, la grande et large plaine
De l'escumeuse mer de Jupiter est pleine :
5   Les Cours et les marchez de Jupiter sont pleins,
Les chemins et les ports, et nous pauvres humains
Tousjours avons besoing du secours de sa grace[2]
Quelque part que soyons, car nous sommes sa race[3].
Il est doux et benin, c'est luy qui prend le soing
10   Aux hommes de monstrer ce qui leur est besoing[4].
C'est Jupiter, c'est luy qui réveille et radresse

Les peuples au travail languissans de paresse,
D'un froid morne engourdis[5], leur faisant souvenir
Qu'il faut en travaillant nourrir et soutenir
15   Ceste mortelle vie, et que la nourriture
Est le seul entretien de l'humaine nature[6].
C'est ce grand Jupiter qui la course des ans
Retranche par saisons[7], et remarque les temps
Pour accoupler les bœufs, casser la motte oysive
20   A grands coups de hoyau, clorre de haye vive
Et dechausser l'entour des petits arbrisseaux,   [175v]
Et quand il faut semer : Par luy les astres beaux
Sont fichez dans le Ciel de si juste ordonnance,
Qu'ils donnent des saisons certaine cognoissance.
25   Puis songneux ordonna, que les flambeaux espars
Des estoiles du ciel de l'an fissent les pars,
Qui monstrent aux humains les saisons annuelles,
A fin que tout renaisse en suites eternelles,
Fermement asseuré sans jamais varier,
30   Et pource on le revere et premier et dernier[8].
    Pere, merveille grande, exauce ma priere,
Grand secours aux humains : toy la race premiere,
O Muses, vous priant de prendre le souci
D'accompagner mes vers, et de finir l'emprise
35   Que sans vostre faveur jamais je n'eusse prise :
Et douces permettez, ne refusant mes vœux,
Que je puisse chanter les estoiles des cieux.
    Or[9] la plus grande part des estoiles luisantes
Se trainent dans le Ciel de toutes parts roulantes,
40   Et par divers sentiers se tournent tous les jours,
D'un mouvoir eternel continuant leur cours :
Mais l'essieu ne se bouge, et jamais ne se tourne,
Ains serrément fiché en mesme poinct sejourne,
Et sans point se mouvoir ny locher tant soit peu,

45   Mouvant tout[10], il demeure immobile en son lieu,
Tenant de tous costez en rondeur amassée
La terre egalement au milieu ballancée.
Le Ciel autour de luy porte les astres beaux,
Et les tire avec soy, deux polaires flambeaux
50   De l'une et l'autre part luy font borne et limite :
L'un jamais ne se voit, et l'autre à l'opposite   [176]
Directement assis du costé Borean,
Se voit haut eslevé par dessus l'Ocean.

LES OURSES.

55   Tout à l'entour de luy deux Ourses[11] estoilées
Roulent ensemblément, pource sont appelées
Par un autre surnom des Grecs, les Chariots :
L'une et l'autre tousjours se soustenant du dos
Bechevet sur les flancs les testes abaissées,
60   Espaule contre espaule à rebours renversées.
S'il est vray que[12] dans Crete elles furent és cieux
Du Vouloir de Jupin mises entre les feux
Des astres flamboyans, car par leur diligence
Fut celé Jupiter encor en son enfance,
65   Et mis au plus profond de l'antre Dictean,
De l'antre bien fleurant[13] près le mont Idean,
Où par le cours d'un an les Dicteans Curetes
Nourrissant cet enfant, les emprises secretes
Tromperent de Saturne[14], et pource[15] le surnom
70   De l'une est Cynosure, et l'autre prend le nom
D'Elice, dont les Grecs pour seurement conduire
Dessus les flots marins le cours de leur navire,
Prennent grande asseurance, et la Phenice gent
Suit l'autre et se conduit par elle seulement :
75   Se confiant du tout en sa flamme estoilée
Pour traverser sans peur la grand'plaine salée.

Mais Elice plus grande apparoist sur la nuict,
Son lustre est pur et net et clairement reluit :
Et l'autre est plus petite, et plus lente et debile,
80   Mais aux sages nochers plus seure et plus utile,
Toute d'un moindre tour elle va s'eslançant.
Et le Sidonien[16] dessus la mer dressant   [176v]
Un voyage lointain, ne vogue que par elle,
La retenant tousjours pour sa guide fidelle.

LE DRAGON.

85   Entre ces deux on voit, ainsi que le coulant
D'un fleuve recourbé va son onde roulant,
Le Dragon[17] en longueur presque non mesurée
Trainer à longs replis son eschine dorée,
Merveille espouventable : or de son ply glissant
90   D'un et d'autre costé les Ourses vont naissant,
Qui du noir Ocean craignent l'onde écumante :
L'une il tranche du bout de sa queuë ondoyante,
Puis entrecoupe l'autre en ses plis tortument
Où le bout de sa queue aboutit aboutist droitement,
95   Et finissant repose à la teste d'Helice.
Cynosure a le front où ce Dragon se plisse,
Puis autour de sa teste il tourne flamboyant,
Et glisse jusqu'au pié de l'espine ondoyant :
Puis reprenant sa course il refuit en arriere
100   Et non en ceste part seulement sa lumiere
D'une estoile reluit, ny dessus le sourcy,
Mais sur les temples deux, et deux belles aussi
Brillent dedans ses yeux, et une autre plus basse
Le bout de la machoire en ses rayons embrasse
105   De ce monstre hideux, qui la teste du tout
Recourbe encontre bas, et la met sur le bout
De la queue d'Helice[18] et de travers la couche,

Mais tout le costé droit[19] du temple et de la bouche
Dessus le mesme bout est droitement és cieux,
110 Où la teste se bagne et se pert de nos yeux :
De ceste part aussi le levant pesle-mesle
Ensemble le couchant s'entresuyvant[20] se mesle.   [177]

L'AGENOUILLÉ.

Voisin de ce Dragon un image estoilé,
Figurant le portrait d'un homme travaillé,
115 Et pressé sous le faix se retourne et se vire[21],
Son vray nom proprement on ne sceut jamais dire,
Ny moins l'occasion qui cause le malheur,
Qui tousjours le retient suant sous le labeur,
Le vulgaire pourtant l'Agenoillé l'appelle,
120 Courbé sur ses genous, comme cil qui chancelle
Et qui boiteux flechist le jarret en marchant.
Nous le voyons chetif les deux mains espanchant
De l'une et l'autre espaule estendant la brassée
Tant qu'ell'peut çà et là au ciel estre eslancée,
125 Puis du bout du pié droict va le milieu froissant
De la teste au Dragon en cent plis tortissant.

LA COURONNE.

En ce mesme canton, voy comme la Couronne[22],
La marque de Bacchus flamboyante rayonne,
Et le beau lustre d'or de sa flamme respand :
130 Voy comme elle se tourne, où l'espaule s'estend
Sur le dos recourbé de l'image lassée,
Le fidele tesmoing d'Ariadne laissée
Pour gage de ce Dieu, qui la fist dans les cieux
Luire de ses amours un flambeau radieux.

LE PORTE-SERPENT.

135   Doncques ceste couronne est voisine et s'arreste
Au dos du Genoiller, qui le haut de sa teste
Pose droit sur le front du grand Porte-serpent[23] :
Par elle cognoistras que sa flamme il espand,
Et qu'il la monstre au ciel clairement apparante :
140   Puis l'une et l'autre espaule apparoist rayonnante   [177v]
Sous la teste courbée, ainsi que le flambeau
De la Lune se monstre en son croissant nouveau :
Mais ses mains ne sont pas entierement egales,
Et n'ont pas à souhait les flammes liberales,
145   Mais lentement courant se monstre leur splendeur
Foible, lente, et debile, et de petite ardeur.
On les voit toutesfois, et ne sont si legeres
Qu'ils ne monstrent au Ciel leurs petites lumieres.
Le Serpent les travaille, et de ses plis retors
150   Du grand Porte-serpent ceint le milieu du corps,
Qui ne tremble pourtant, mais plein de hardiesse,
Fermement asseuré, des deux piés foule et presse
De l'ardant Scorpion[24], monstre vrayment hideux,
A grands coups redoublez l'estomach et les yeux.
155   Par l'une et l'autre main le Serpent s'entortille
Et se glisse en roulant, mais la dextre gentile
Le serre au plus menu où il va finissant,
Et la gauche à l'endroit où il va grossissant :
Puis va lechant le bout de ses larges machoires
160   La Couronne estoilée, et sous les traces fieres
De ses plis ondoyans, chercheras[25] espandus
Les piés du Scorpion, grands et longs estendus,
Qui ne paroissent point, car leur flamme escoulée
Se couve sous les plis du Serpent recelée.

L'OURSE-GARDANT.

165　　Au dernier d'Helic', voy puis l'Ourse-gardant,
　　　Ressemblant au cocher qui son char va guidant :
　　　On l'appelle Bouvier[26], parce qu'il suit la course
　　　Et qu'il semble trainer le chariot de l'Ourse.
　　　On le voit tout entier, mais un astre plus grand
170　Sur les autres reluit et roule sous le flanc　　　　　　[178]
　　　A l'endroit proprement où se joint sa ceinture :
　　　Cest astre dans le Ciel est surnommé l'Arcture.

LA VIERGE.

　　　Sous les pieds du Bouvier, voy la Vierge[27] sacrée
　　　La Vierge à l'œil benin noble race d'Astrée,
175　Qui bransle dans sa main un espy flamboyant,
　　　A la teste dorée et au crin ondoyant :
　　　Ou que du vieil Astré soit sa race premiere
　　　Qu'on vante avoir esté des astres le pere :
　　　Ou que d'une autre part soyent ses premiers ayeux[28],
180　En repos asseurée elle habite[29] les Cieux,
　　　Humble, tranquille et douce, encores qu'on la tienne
　　　Avoir fait quelquefois sa demeure ancienne
　　　En ceste terre basse, et n'avoir dedaigné,
　　　Deesse qu'elle estoit, d'avoir accompagné
185　Les hommes en tous lieux, leur estre secourable,
　　　Venir au devant d'eux, se rendre compagnable
　　　Aux femmes, aux vieillars, et en toute douceur
　　　L'equité et la loy leur engraver au cœur,
　　　Librement se meslant en la troupe mortelle,
190　Encores que de race elle fust immortelle.
　　　On l'appelloit Justice, elle de toutes parts
　　　Dedans un carrefour assembloit les vieillards
　　　Au milieu d'une rue, hors et dedans les villes,

Et au peuple ignorant monstroit les loix civiles.
195   Celuy vrayment estoit en ce bel âge d'or
Trois et trois fois heureux qui ne voyoit encor
Ny discord ennemy, ny procés ny querelle :
La pallissante peur, ny la peine cruelle,
La rage et la fureur, le trouble et les debats
200   N'animoyent point encor les mutins aux combats :   [178v]
Chacun vivoit heureux, car le fer ny l'envie
Ne troubloit le repos des douceurs de la vie.
    On n'avoit point encor à force de ramer[30],
Roulé dessus les flots de l'escumeuse mer,
205   Ny fouillé dans le sein des mines non trouvées,
Des hauts Pins esbranchez les tronches my-cavées,
Encor n'avoyent trainé le pallissant nocher
A combattre l'orage, ou les flancs d'un rocher,
Ou pour se pendre aux flots dans la nef voyagere,
210   A fin de butiner sur la rive estrangere.
On n'avoit jamais veu monstres dedans les eaux,
Encores sous le joug ne souffloyent les toreaux[31],
Ny le soc argenté ne sillonnoit la plaine
Qui de son gré portoit sa chevelure pleine
215   De beaux espics crestez, et feconde en tout temps
Se monstroit à nos yeux grosse d'un beau printemps.
Donc[32] en ce siecle d'or, ceste saincte Deesse,
Le fidelle entretien et l'unique maistresse
Du peuple et des citez en chacune saison,
220   Liberale versoit aux hommes à foison
Toute sorte de biens, comme celle qui donne
Justement ce qu'il faut à chacune personne,
Et demeura çà bas tant que l'âge honoré
Nourrit dedans son sein ce beau tige doré.
225   Mais depuis que la terre alterant sa nature
De ce noble metal eut changé la teinture
Pallissante en argent, plus ne voulut hanter

Les Cours ny les Citez, moins encor frequenter
Ainsi qu'elle souloit ceste race seconde,
230   Et plus ne se rendoit familiere en ce monde,
Mais bien peu se monstrant pleuroit les heritiers   [179]
Avoir si mal suyvi la trace des premiers.
En cest âge pourtant sa face venerable,
Se monstroit quelquefois au peuple favorable,
235   Mais non pas si souvent, et la maligne gent
Du tout n'abandonnoit en ce siecle d'argent.
Quelquefois sur le soir, lors que la nuict muette
Avoit couvert[33] les champs sous son æle brunette,
Solitaire et pensive, ayant la larme à l'œil,
240   Venoit d'une montagne ou du haut d'un escueil,
Et de sa voix effroyable accusoit la malice
Des hommes desbordez à l'abandon du vice,
Et noire de courroux, le sourcy rabaissé,
Le visage couvert, du beau siecle passé
245   Regretoit les vertus, se meslant en la presse
Sans luy porter faveur ny luy faire caresse.
Pui si tost qu'elle avoit de propos irritez
Comblé de toutes parts les plus grandes Citez,
Triste les accusoit de leur meschante vie :
250   Plus vous ne me verrez, ores qu'ayez envie
(Disoit-elle en pleurant) bien souvent de me voir,
Et de baiser mes pas à fin de me r'avoir.
Hà Dieux que vostre race est vrayment empirée
Depuis que je laissé seulement la dorée[34].
255   Faut-il qu'en empirant tout doive ainsi marcher
Forcé par le Destin qu'on ne peut retrancher ?
Les bons peres dorez que j'honore et je vante,
Après eux ont laissé une race mechante,
Un siecle depravé tel que nous voyons or,
260   Et vous en laisserez un autre pire encor :
Lors la guerre cruelle armera les Provinces,

Armera les Citez et Princes contre Princes,   [179v]
Lors naistront les douleurs et les meurdres nouveaux,
Et de sang ennemy couleront les ruisseaux.

265   Puis[35] ayant dit ces mots, retournoit forcenée,
Se cacher dans les monts la face destournée,
Seulette s'esgarant du peuple qui çà bas
Beant la regardoit, à l'œil suyvant ses pas.
Or si tost que de mort la fatale ordonnance

270   Les eut mis au tombeau, autres prindrent naissance
Pires que les derniers, car en naissant soudain,
O cruel changement ! nasquit l'âge d'airain.
Alors le fer trenchant sur l'enclume forgerent
Et la meurdriere lame en estoc allongerent[36],

275   La lame voyagere, et leurs sanglantes mains
Trancherent en morceaux le support des humains,
Les toreaus laboureurs[37], pour leurs bouches gourmandes,
Et pour souiller l'apprest de leurs tables friandes.
Depuis ceste Deesse a conceu dans son cœur

280   Encontre les mortels la haine et la rancœur,
Et vola dans le Ciel despite et desdaigneuse,
Choisissant sa demeure, où par la nuict ombreuse
Aux hommes se fait voir entre les Astres beaux
Voisine du Bouvier[38] aux lumineux flambeaux.

285   Elle a d'un astre beau les espaules dorées
Devers le droit costé des æles peinturées
Qu'elle a dessus le dos[39] : C'est l'Avant-vandangeur[40],
De lumiere pareille, et pareille grandeur
Que celle qui se voit par la noire carriere

290   Sur la queue d'Helice[41] espandant sa lumiere.
Ceste estoille est ardante, et les autres aussi
Qui sont voisines d'elle, et voyant celles cy
Des autres ne t'enquiers, car une autre s'enflamme   [180]
Au devant de ses pieds, qui va jettant sa flamme,

295   Grande, gentille et belle : une autre luit dessous

Son espaule, une aux flancs, une sous les genous.
Toutes les autres ont leurs flammes languissantes
Dessous un voile obscur moyennement luisantes,
Comme troupe inutile, ayant peu de splendeur,
300   Et roulent dans le ciel sans tiltre et sans honneur.

LES JUMEAUX.

Puis[42] les astres bessons des Jumeaux font leur course,
Et tiennent leur sentier à la teste de l'Ourse.

LE CANCRE.

Et le Cancre escaillé se courbe sous ses flancs.

LE LION.

Et sous ses pieds fourchus[43] les feux estincelans
305   Du Lion herissé vivement apparoissent,
Où le sentiers plus chauds, et les traces renaissent
Du Soleil flamboyant, quand les sillons tous nus
Se monstrent despouillez des leurs épics grenus,
Alors que le Soleil par l'ardante colere
310   Du Lion aux longs crins fait sa course legere
Volontiers en ce temps sur les flots écumeux
Les vents Etesiens d'haleinemens fumeux
Pesle mesle accouplez, et poursuyvant leur route
Courent bruyant, sifflant de violence toute.
315   Et lors n'est asseuré dedans les creux vaisseaux
A doubles avirons ramer dessus les eaux :
Et voudrois en ce temps pour destourner la charge
D'un orage mutin, que mon vaisseau fust large.
Le Pilote s'en garde, et qu'il tienne souvent
320   La main au gouvernail, ferme contre le vent.

LE CHARTON. [180v]

Puis s'il te plaist de voir la flamme qui reside
Belle dedans le ciel, du Charton[44] porte-bride,
Du Charton estoilé, pour bien la concevoir
De la Chévre il te faut la souvenance avoir,
325   Et des petits Chévreaux, qui de face hayneuse[45]
Regardent les nochers sur la mer escumeuse
Pallissant de frayeur, sur les flots estendus[46]
Les vaisseaux affondrez et les hommes perdus.
Ce Charton se voit tout à face devoilée
330   Vers le gauche costé des Jumeaux avalée,
Se clinant contre bas, et tourne vis-à-vis
De la hure d'Elice où son visage est mis[47.]
Sur l'espaule gauchere il retient attachée
Le flambeau consacré de la Chévre panchée[48],
335   De celle qui donna gracieuse à teter
De sa mammelle douce à ce grand Jupiter :
Les Souprophetes[49] saints l'appellent Olenie.
Elle est fort apparente, et de lustre garnie,
Mais au joinct de la main la lumiere et le feu
340   Des Chevreaux obscurcis ne paroist que bien peu.

LE TOREAU.

Plus cherche du Toreau[50] la figure attachée
Près les pieds du Charton, sur le ventre couchée[51] :
Il porte furieux deux cornes sur le front,
Cornes à pointes d'or, qui terrible le font.
345   Par beaucoup de moyens tu le pourras cognoistre :
Car par les clairs flambeaux il se fait apparoistre
Haut la teste levée, et marquée en cent lieux
D'un et d'autre costé de flambeaux radieux,
Qui roulent à l'entour, et figurent l'audace

350 De ce Toreau courbé, et de sa belle face. [181]
   Les Hyades ont nom, on les cognoist assez
   Par tout cest univers, car les feux ramassez
   Sur le front du Toreau aux cornes flamboyantes,
   Les font voir dans le Ciel clairement apparantes.
355 Une Estoile sans plus sur le gauche costé
   Tient le bout de la corne, et sur elle est planté
   Le pié droit du Charton, qui ensemble se roule :
   Seulement le Toreau en descendant se coule
   Plus viste en Occident, et se haste inegal,
360 Mais tous deux au lever marchent d'un pas egal.

CEPHE.

   Je ne tairai pourtant la race miserable
   De l'Iasin Cephé[52], car son nom venerable
   Et sa noble maison vint le Ciel habiter,
   Comme race cousine à ce grand Jupiter.
365 Il est contre le dos de l'Ourse Cynosure,
   Estendant les deux mains, et la mesme mesure
   Qu'on voit depuis le bout de la queue en longueur,
   S'estendre jusqu'aux pieds, est pareille en largeur
   A l'espace qu'on voit mesurer la passée
370 De l'un à l'autre pié justement compassée.

CASSIOPE.

   Puis t'esloignant un peu de son large baudrier,
   Du Dragon ondoyant verras le pli premier :
   Puis avançant les yeux, Cassiope dolente[53]
   Aux pieds de son Cephé chetive se tourmente :
375 Son lustre est foible et rare, et lentement reluit
   Lorsque la Lune pleine espanche par la nuict
   Ses beaux rayons dorez, car sa flamme est petite
   Et petite l'ardeur qui dedans elle habite,

      Et les feux mal rangez des estoiles qui font   [181v]
380   Sa figure obscurcie, et qui enceinte l'ont[54].
      Et tout ainsi qu'on voit d'une porte bien sure
      Par le dedans garnie à double fermeture,
      L'un et l'autre corail, et les gents se forcer
      A la rencontre fiere, et tous deux repousser :
385   Ces estoiles ainsi çà et là repandues
      Figurent son image, espaules estendues
      Et les mains dans le Ciel, on diroit à la voir
      Que pour sa fille encor elle veut se douloir[55].

                        ANDROMEDE.

      En ceste mesme part se retourne offensée
390   De tristesse et douleur sous sa mere agencée
      L'image d'Andromede[56], et ne prens grand souci
      Pour de nuict concevoir son beau lustre esclarcy :
      Car sa teste se voit claire luisante et belle,
      Des espaules aussi la carreure jumelle,
395   Et de son vestement le replis ondelets,
      Et le bout delicat de ses pieds tendrelets :
      Elle estend les deux mains, dont le lien se traine
      Encor dans le Ciel seur tesmoing de sa peine,
      Où seront pour jamais en signe de ses plaints
400   Ses bras d'un fort lien estroittement contraints.

                        LE CHEVAL.

      Sur le chef d'Andromede on voit haut eslevée
      Du Cheval monstrueux la figure engravée[57]
      Jusques au bas du ventre : un bel astre commun
      La teste et le nombril du Cheval joinct en un.
405   Il porte à ses costez trois estoiles roulantes
      Jusques dessus l'espaule egalement distantes,
      D'un feu luisant et beau de juste grandeur.

Il a la teste morne, et de peu de splendeur,　　　　　[182]
Et le trait brunissant de sa longue encolure
410　Ne se voit qu'enfumé d'une lumiere obscure :
Mais la derniere estoile allume son flambeau
Sur sa machoire ardante, aussi luisant et beau,
Et de lustre aussi net que les quatre premieres
Qui versent dans le Ciel leurs gentiles lumieres.
415　Or ce Cheval sacré, en ses vistes retours
Ne fait des quatre pieds sa carriere et son cours.
Car jusques au milieu sa figure portraite
Se finist au nombril et se voit imparfaite :
Si dit-on toutefois que ce fut ce Cheval
420　Qui de son pié cornu fist rouler contreval
Du plus haut d'Helicon une belle et claire onde
A petits flots ondez d'une source feconde.
Car du haut de ce mont jamais n'eussent coulé
Les ruisseaux argentins, si ce Cheval ælé
425　N'eust frappé du pié droict ceste roche alterée,
Qui beante aussi tost poussa l'onde sacrée
Qu'elle eut senti le coup, et furent les pasteurs
Qui vanterent premiers ces jazardes liqueurs,
La fontaine au Cheval[58], la gentile fontaine,
430　Qui distile et qui sourd de la roche hautaine.
Le peuple Thespien habite ce coupeau,
Il n'est point eslongné de ce coulant ruisseau :
Mais ce Cheval au ciel va secouant ses æles
Et se tourne au milieu des flammes immortelles.

LE BELLIER.

435　　Près de ce My- cheval tu verras le sentier
Et les vistes retours que passe le Bellier[59],
Près des cercles plus longs, poussé de telle course
Qu'en tournant n'est en rien moins paresseus que l'Ourse.[182v]

Il a peu de clairté, et son lustre obscurci
440 Est lent, brun et tardif, et parest tout ainsi
Que font les astres beaux, lors que la Lune entiere
Va redorant le Ciel de sa belle lumiere.
Mais marque son espaule aupres du ceinturon
De la triste[60] Andromede, il est à l'environ
445 Appuyé dessous elle, où traversant il fraye
Au milieu du grand Ciel sa brunissante voye,
La part mesme où l'on voit les bras du Scorpion
Finir, et se tourner l'estreinte d'Orion.

DELTOTON.

Sous la mesme Andromede est mis un autre signe,
450 Proprement agencé de trois costez insigne :
Dont les deux sont egaux justement[61], l'autre non.
Cet image est des Grecs surnommé Deltoton.
Du costé raccourci, les flammes plus Australles
Ainsi que du Bellier[62] n'estant brunes et palles
455 Se trouvent aisément, se retirant un peu
Vers le mesme costé où se monstre leur feu.

LES POISSONS.

En ce mesme canton sous les cours de Borée
Voy des Poissons couplez[63] la lumiere dorée :
Toutesfois l'un des deux est plus noble et plus beau
460 Que l'autre, et de plus près oit l'orage nouveau
De ce venteux Borée[64] : ils sont tous deux ensemble
Estroittement couplez d'un lien qui s'assemble
De l'une à l'autre queuë, et qui se joinct en un.
Ce lien est marqué d'un bel astre commun,
465 Grand, clair, luisant et beau, et de lumiere belle :
Et ceste liaison sous-couarde s'appelle[65].

L'espaule d'Andromede[66] en son gauche costé   [183]
Te soit pour tout jamais un vrai signe arresté
Du poisson Borean, qui tourne et qui chemine
470   Vers le Septentrion, et de près l'avoisine[67].

PERSÉE.

Les deux pieds d'Andromede enseignent son espous
Persée[68] qui se tient planté sous le dessous
Des talons, qui sans fin les espaules luy pressent.
Mais ses feux les plus grands[69] dessus tous apparessent
475   Du costé de Borée, estendant le bras droit,
Hardi, l'espée au poing, justement à l'endroit
Où se sied Cassiope, et de plante legere
Se haste tout poudreux dedans le Ciel son pere[70].

LES PLEIADES.

Près de son jarret gauche, on peut voir le troupeau
480   Des Pleiades[71] serré en un petit monceau.
Elles sont à les voir de petite apparance,
Mais entre les humains de fort grande puissance.
On les surnomme icy les sept chemins des Cieux,
Or' que six seulement paroissent à nos yeux.
485   Car jamais d'icy bas estoile ne s'est veue
Qui se soit hors du Ciel desrobée ou perdue,
Aumoins depuis le temps que nous avons appris
Leur premiere naissance et que tels noms ont pris :
Alcyone, Celene, et Electre, et Merope,
490   Maie la venerable et Tayette et Sterope[72]
Voila les noms des sept : et est songe avancé :
Dire que la septieme eust le Ciel delaissé[73].
Petite est leur clairté, et sont comme en tenebres,
Leurs beaux noms toutefois ici bas sont celebres[74],

495   Parce que se levant le matin et le soir
       Et tournant dans le ciel aux hommes se font voir.   [183v]
       Jupiter est l'autheur de leur vertu connue,
       Qui leur a commancé d'advouer la venue
       Et d'Hyver et d'Esté, et remarquer le temps
500   Qu'il nous faut travailler à labourer les champs[75].

LA LYRE.

       On voit en mesme lieu petitement reluire
       Cela que façonna Mercure en une Lyre[76]
       Estant dans le berceau, auparavant sans nom,
       Mais qui la fist au ciel d'un immortel renom.
505   L'image qui se sied dessus sa hanche ernée,
       Du genoil gauche atteint ceste Lyre dorée,
       Et le haut de sa teste et de son lustre beau
       Se tourne clairement vis-à-vis de l'oyseau,
       Rendant dedans le ciel sa lumiere divine
510   Entre l'Agenoillé et la teste du Cygne.

LE CYGNE.

       Cet oiseau[77] peinturé de plumes bigarrées,
       Va courant dans le Ciel en ces mesmes contrées.
       Il a le teint couvert de brunette espcsscur
       D'une part, mais de l'autre il a vive couleur[78],
515   Portant l'æle semée et aspre et raboteuse
       D'astres petits, mais beaux de clairté lumineuse.
       A voir planer au ciel ce plumage nouveau
       D'un vol doux et serein, il ressemble un oyseau :
       Il se porte de queue envers l'autre partie
520   Où tombe le Soleil, au lieu où se manie
       La dextre de Cephé, qu'il va contre-abordant
       Du bout de l'æle dexte à plein vol s'estendant,
       Puis l'ongle[79] du cheval se courbe sous l'autre æle.

LE VERSEAU. [184]

Les Poissons vont pressant ce Cheval qui sautelle
525   D'un et d'autre costé, et la main du Verseau
Près la teste au Cheval, estend son lustre beau :
Il se leve tousjours après le Capricorne[80].

LE CAPRICORNE.

Ce signe en se levant panche et courbe sa corne[81]
Vers Austre, où le Soleil tourne et flechist son cours.
530   Ne te mets point sur mer en ce mois, où le jours
Sont si courts, et fascheux, et la mer orageuse,
Par trop longues les nuicts, l'Aurore paresseuse,
Or que tremblant de peur tu l'appelles souvent
Cruellement traicté de la nuict et du vent.
535   Car en ceste saison les vents et la tourmente
S'eslancent furieux sur la mer ecumante
Et pleine de fureur, au temps où le Soleil
Se tourne en Capricorne : un froid le nompareil[82]
Venant de Jupiter[83], alors transist et gelle
540   Le palle nautonnier qui fremist et chancelle :
Toutesfois en tout temps de cent perils nouveaux,
La mer trouble noircist[84] dessous les creux vaisseaux.
Et comme les plongeons[85] les mariniers regardent
Du tillac çà et là les vents qui les retardent
545   D'aborder, mais en vain se tournent vers le port,
Et un petit de bois[86] les defend de la mort.

L'ARCHER.

Or en ce premier mois ayant couru Fortune
Sur le dos escumeux des vagues de Neptune[87]
Garde toy bien encor, quand sur l'arc estendu
550   Et sur le Tireur d'arc[88] le Soleil espandu

Aura ses feux dorez, venant le soir retire
Soudain, et n'y faux pas[89], sur le port ton navire,   [184v]
Sans te fier en rien à l'horreur de la Nuit.
Le signe de ce mois et du temps qui le suit
555   Sera le Scorpion qui sur l'heure derniere
De la nuict espandra en naissant sa lumiere
Comme environ le jour, où l'on voit approcher
Près de son aiguillon le grand arc de l'Archer :
Mais quelque peu de temps avant le Sagittaire,
560   Le Scorpion se leve et le voit on retraire
Et monter dans le Ciel haut eslevé soudain.
On voit au mesme temps et de fort viste train
Au plus fort de la nuict la teste à la grande Ourse
Se porter dans le Ciel d'une treshaute course.
565   Alors mesme Orion au petit poinct du jour
En tombant se perd tout dans le marin sejour.
Cephé depuis la main jusques aux flancs s'y jette.

LA SAGETTE.

Là, plus oultre s'eslance une ardante sagette[90]
Toute seule et sans arc, et près d'elle voisin
570   Le Cygne estend son vol, mais il est plus Austrin[91].

LE DAUPHIN.

Près de là le Dauphin[92] chemine sur la corne
Et sur le dos courbé de ce grand Capricorne.
Ce Dauphin est petit, et à demi obscur,
Mais il a deux-à-deux, et de gentile ardeur
575   Luisantes sur le front quatre Estoiles fort belles :
Et diriez que ce sont quatre belles prunelles
Esparses çà et là droit entre le sillon
Du Soleil vagabond et le froid Aquilon[93].

ORION. [185]

Entre Auton, et le trac du Soleil[94], Orion[95]
580   Obliquement se tourne, et biaisant se plie
Sous les pieds du Toreau. Qui le passe et l'oublie,
Estant belle la nuict, et ne voit esclairer
Son feu haut estendu, point ne doit esperer
Jettant les yeux au ciel de voir les autres signes
585   Qui sont plus excellens et beaucoup plus insignes[96].

LE CHIEN.

Sous son dos eslevé apparoist le grand Chien[97]
Marchant dessus deux picds, son fidclle gardicn :
Il est tout moucheté, non toutefois qu'il entre
Tout cler dedans le ciel, car par dessous le ventre
590   Il tire sur le pers : mais un astre de nom
Violent et bruslant luy ard sur le menton.
Il seiche et grille tout, et pourtant on l'appelle
L'astre qui brusle et ard d'une vive estincelle.
Quand avec le Soleil il monte en sa chaleur,
595   Les arbres mal fueillus, et qui ont peu d'humeur
Ne le trompent jamais, car d'une estrange force
Il penetre au-dedans, et des uns perd l'escorce
Du tout, des autres non : car il les va gardant
Et benin les meurist des feux qu'il va dardant :
600   Nous le sentons de loing quand il fait sa descente.
Le reste rend clairté plus legere et plus lente,
Et tourne pour marquer et rendre seulement
Tous les membres entiers de ce chien proprement.

LE LIEVRE.

Sous le pieds d'Orion d'une course legere
605   Le Lievre[98] tousjours fuit, et le Chien par derriere,

Tout ainsi qu'un Chasseur, le haste et le poursuit
Et se leve avant luy, et en tombant[99] les suit.   [185v]

ARGON[100].

<V -2>

LES PROGNOSTIQUES ET PRESAGES D'ARAT[1]

Poëte Grec.

Doncques ne vois-tu pas[2], quand la Lune nouvelle
Du costé d'Occident ses cornes renouvelle,
Qu'elle enseigne du mois la naissance en croissant ?
Et qu'aux premiers rayons qu'elle va eslançant
5   Sur les corps d'ici bas, jusques à faire ombrage,
Court jusqu'au jour quatrieme[3] ? et puis, que son visage
Se monstre demy plein, sur le huitieme jour,
Mipartissant le mois, s'elle a rempli son tour[4] ?
Bref, en quelque façon qu'elle tourne sa face,
10   Elle monstre du mois le quantieme se trace[5].
Puis les signes partis en douze egalement,
Monstrent la fin des nuicts et le commencement :
Signes jusqu'au grand an, posez de façon telle,
Et tellement rangez de la main immortelle
15   De ce grand Jupiter, qu'ils descouvrent les temps
Commodes pour planter et labourer les champs,
Commodes pour prevoir sur la mer escumeuse,
Pour la volante nef la tempeste orageuse[6] :
Au moins s'il te souvient de ce Bouvier mutin[7],
20   Et des astres naissans, et puisez au matin,
De l'humide Ocean, aussi de la lumiere   [186]
De ceux qui sur le soir dorent la nuict premiere[8] :
Car le Soleil les passe, et trace un long sentier
Tirant un grand sillon, pour rouler l'an entier.

25 Puis il approche l'un, et soudain l'autre touche,
Quand en montant se leve, et en tombant se couche[9],
Et puis une autre estoile, et une autre à son tour,
Regarde les rayons du premier poinct du jour :
Tu le cognois assez, car par tout l'on te sonne
30 Les cercles dix et neuf[10] du Soleil qui rayonne,
Et combien par la nuict se tournent d'astres beaux
Depuis le ceinturon, jusques aux clairs flambeaux
Du dernier Orion[11], et jusques à la trace
De son chien courageux, qui les hommes menace[12].
35   Doncques exerce toy, et remets ton souci
Aux astres de Neptune, et de Jupin aussi[13],
Et voy diligemment, comme leur cognoissance
Rapporte le presage en seure experience
Aux mortels d'ici bas[14] : Sois aussi soucieux,
40 Lors que voudras en nef[15] courir advantureux,
Des signes devant dits, pour les venteux orages
Et pour la cruauté des mariniers naufrages.
Le labeur n'est pas grand, mais certes le sçavoir
Utile et profitable, à cil qui peut prevoir
45 Le malheur advenir d'une[16] songneuse garde.
Il fait premierement qu'en seurté il se garde,
Puis il peut ce pendant advertir son amy,
Et luy donner secours pour le temps ennemy :
Et mesme[17] quelque fois dessous la nuict seraine,
50 Espiant sur la mer, que[18] le matin attraine
Quelque grand fortunal dessus son pauvre chef,
S'arme contre l'orage, et sauve ainsi sa nef :   [186v]
Quelquefois le malheur jusques au jour quatrieme[19]
Tient la bride à son cours, quelquefois au cinquieme,
55 Et quelquefois aussi il nous prend sur le pas :
Mais las ! pauvres chetifs, encor ne sçavons pas
De ce grand Jupiter pleinement toutes choses,
Il en reste beaucoup dedans son sein encloses[20] :

Or vueille quelquefois nous les faire sçavoir.
60   Il est doux et benin, et par tout se fait voir
Le secours asseuré de nostre pauvre race,
Et nous versant du Ciel les faveurs de sa grace,
Nous monstre apertement les signes découvers
De tout ce qui se tourne en ce grand Univers.
65   Voy donc songneusement quand la Lune est partie
En son croissant premier, puis quand elle est remplie
D'un et d'autre costé, et quand une autre fois
Elle fait son croissant sur le decours du mois.
Ou quand le Soleil monte en sa coche dorée,
70   Ou qu'il se couche au soir sur la nuict estoilée :
Ainsi pourras sçavoir de la nuict et du jour
Les signes advenir, l'un par l'autre à leur tour.

Ce qui doit suyvre ceci a desja esté mis ci-dessus par
l'Autheur en la II. Journée de la Bergerie fueill. 119, b. et
118, b. sous les titres d'Apparences de la Lune et du Soleil.
Et s'ensuit[21]

Que te diray-je plus des presages certains   [187]
Qui sont assez cogneus icy bas des humains ?
75   De la neige advenir un signal pourras prendre,
Quand dedans le fouyer s'amoncelle la cendre,
Ou qu'on voit tout autour des rougissans nazeaux
Du lamperon huileux, comme petits mouceaux
De semence de mil[22] : Puis c'est signe de gresle,
80   Quand le charbon vivant d'une ardante estincelle,
Rougissant sur le bout, son milieu va bordant
D'une petite nue, et dedans est ardant.
Le Chesne bien chargé, et la noire Lentisque,
Ont de monstrer l'hiver mesme quelque pratique.
85   Le paisant voit à tout, craignant que la moisson[23]
N'escoule de sa main à la chaude saison.
Si de glan fort espais le Chesne prend vesture,

Il monstre de l'hyver une extreme froidure.
S'il n'est par trop chargé, les trop grandes chaleurs
90   Feront que les sillons ne s'arment d'espics meurs.
Du Lentisque[24] trois fois la fleur prend sa naissance,
Et son fruict trois fois l'an prend nouvelle accroissance,
Et chaque accroissement nous monstre la saison
De prendre la charrue, et en quelle achoison.
95   Car il faut trois labeurs, et trois façons entieres,
Pour donner ce qu'il faut aux terres nourricieres.
Doncques, le premier fruict du Lentisque profond,
Te dira le premier, puis après le second
La seconde ensuyvant', le dernier, la derniere :
100 Et s'il est fort chargé en la saison premiere,
La moisson sera bonne et fertile en espis :
Mais si moyennement il se charge de fruicts,
Moyennement aussi nous aurons esperance
De moyenne moisson, et moyenne semence :   [187v]
105 S'il se charge fort peu, fort peu aurons aussi
A recueillir le grain de si plaisant souci.
Or comme luy trois fois florissante est la Scylle :
Et d'elle on peut prevoir sur la moisson fertile
Comme on fait du Lentisq', car c'est mesme argument
110 Pour juger des saisons et de leur changement,
Et tout mesme signal au Laboureur rustique,
Scylle à la blanche fleur, et la noire[25] Lentisque.
    Or tu pourras prevoir la froidure cuisante,
Si devant le lever de la troupe luisante
115 Des Pleiades[26] on voit sur l'Automne un amas
De bourdonnans freslons, s'amasser en un tas,
Tel[27] rond et tel monceau en ces guespes se tourne.
Ou[28] quand de son manger[29] la truye s'en retourne,
La chevre, et la brebis, et dedans leur pourpris
120 Les femelles sautant saillent sur leurs maris :
Ainsi que des freslons, d'elles on conjecture

Les rigueurs de l'hiver, et poignante froidure :
Mais s'en saison tardive, on les voit accoupler
Montant l'un dessus l'autre, et en vain se mesler,
125 L'homme trop malheureux et transi de froidure,
Mal chaussé, mal vestu, de quelque bien s'asseure :
Car c'est signe certain de l'an plaisant et beau,
Quand bien tard en chaleur se rue le troupeau.
Or le bon Laboureur et sage en son affaire,
130 Se rejouist de voir la Grue se retraire
Bien tost en la saison, quand il est diligent :
Mais celuy-là qui est tardif et negligent
S'ell' ne revient bien tard, ne prend resjouissance,
Car ainsi que la grue, ainsi l'hiver commence.
135 S'en troupe ell' revient tost, l'hyver vient tost aussi, [188]
S'ell' retourne plus tard, l'hyver vient tout ainsi :
Bref, s'elle est paresseuse, et qu'en troupe ell' n'arrive,
La saison de l'hyver en sera plus tardive.
Mais l'hyver plus tardif aussi porte cest heur,
140 Qu'il garde sa faveur pour le dernier labeur[30].
  Quant et bœufs et brebis sur la fin de l'Automne
Fouillent la terre aux pieds, et leur teste se donne
Contre le vent Boré, soudain en descendant
La Poussiniere estoile, en terre va dardant
145 Une tempeste horrible, et un froid importable :
Et s'ils fouillent beaucoup, elle sera dommageable
Et cruelle ennemie aux arbres et au grain.
Doncques le Laboureur qui veut son grenier plein,
Et qui veut s'esjouir d'une moisson fertile,
150 Doit souhaiter la neige, aux bleds verds tres-utile :
Si trop haute n'estoit, si qu'ell' vint à froisser
L'herbe encore tendrette, et pressant l'offenser.
  Doit souhaiter aussi[31] que la brigade errante
Des estoiles du Ciel, semblablement luisante,
155 Se regarde tousjours, sans qu'on voye par l'ær

Une, ny deux, ny plus des Estoiles briller,
Qui portent sur le front une espesse criniere
De longs cheveux ardans, espandus par derriere :
Car s'ell' ont cheveleure, esperer il nous faut
160   Que l'an doit estre sec extremement et chaud.
        Outre le Laboureur n'a plaisir voir descendre
Des Isles les oiseaux[32] en grand troupe, et se rendre
Dessus la terre ferme, aux premiers jours d'Esté :
Car il craint que son bled des chaleurs offensé
165   Ne trompe son attente, et la moisson s'en aille
En lieu d'espics grenus en estrain et en paille.   [188v]
Le Chevrier au contraire en ce temps s'esjouist
Du retour des oiseaux, car tousjours il jouist
Par les grandes chaleurs, d'une bonne esperance
170   Pour avoir l'an entier laictage en abondance.
Ainsi pauvres chetifs, errans, et malheureux,
Vivons diversement, les uns estans heureux
Par le malheur d'autruy, prevoyans les augures
De ce qu'est à nos pieds sur les choses futures.
175   Mesmement les bergers jugent par leurs troupeaux
La tempeste advenir, quand leurs petits aigneaux
Courent plus asprement pour trouver la pasture,
Ou quand hors du troupeau le Bellier s'advanture
De choquer de la corne avec[33] les aignelets :
180   Ou quand par les chemins, et sentiers verdelets,
Les uns des quatre pieds d'une gente allaigresse
Ruant foulent la terre, et les vieux, de paresse
Comme les plus pesans, ne sautent seulement
Que des pieds de devant : ou quand ensemblement
185   Retournant sur le soir de la verte prairie,
Ne rentrent que contraints dedans la bergerie,
Ou quand ils mordent l'herbe, à peine le berger
A force de cailloux les chasse du manger.
        Mesme le Laboureur et le Bouvier champestre,

190   Ont cogneu par leurs beufs quand l'orage doit naistre.
      Quand la corne du pié dessus l'espaule enté,
      Ils lechent de la langue, ou sur le droit costé
      Ils s'estendent sur terre, alors c'est un presage
      Qu'il est temps de tarder encor le labourage.
195   Ou quand dessus le soir en troupe s'amassant
      Se rendent à la creche, ensemble mugissant,
      Ou qu'on voit la genisse au retour de la prée   [189]
      Gourmande se remplir, comme toute attristée,
      Ayant peur[34] de l'orage, ou qu'on voit se bouter
200   Par les buissons la Chevre, et gloutement brouter[35].
      Ou qu'on voit le pourceau qui se touille et se mesle
      Dans le bourbier fangeux, et le chaume en javelle
      Çà et là par les champs esparpille du grain.
      Ou quand le loup seulet, pour appaiser sa faim
205   Abandonne le bois, et d'une longue haleine
      Hurle parmi les champs, et descend en la plaine,
      Audacieux et fier, approchant le labeur,
      Et l'ouvrage entrepris du pauvre laboureur
      Pour se mettre à couvert, et trouver couche sure,
210   Semblable à celuy-là qui cherche couverture.
      Avant qu'il soit trois jours il te faut esperer
      Une tempeste horrible, et aussi t'asseurer
      Des signes devant dits, pour faire le presage
      Ou des vents advenir, ou de pluye, ou d'orage,
215   Dessus le mesme jour, car l'orage en est près,
      Ou vrayment du second, ou du troisieme après.
          Et mesme les vieillards[36] ont pris songneuse garde
      Escoutant la souris, quand d'une voix criarde
      Elle chante à mi-jour, et s'esgaye[37] en sautant
220   Plus qu'ell' n'a de coustume, et va presque imitant
      Le sauter d'un bouffon : et le bruyant tonnerre
      Le chien va presentant, quand il gratte la terre
      Des deux pieds de devant : et en issant de l'eau

Le Cancre prevoit bien tout orage nouveau,
225   Cherchant la terre ferme, et la plaine asseurée :
Et de ses pieds crochus la Ratte apprivoisée[38]
Renversant la paillasse, et recherchant le lict,
Augure asseurément que l'orage s'enfuit.   [189v]
Car en toute saison ceste petite beste
230   Prevoit asseurément la future tempeste.
    Or[39] de ce que j'ay dit ne prens rien à mespris,
Car c'est un beau sujet, et digne d'estre appris,
De sçavoir bien juger de l'un par l'autre signe
Mais l'espoir plus certain, et la chose plus digne
235   Pour y adjouster foy, quand deux ensemblément
Adviennent en un temps, mais plus asseurément
S'il en vient trois au coup, et puis le nombre assemble
Des signes que verras, les conferant ensemble,
A ceux de l'an passé, songneux à observer
240   Si le coucher du jour est pareil au lever :
Car tel qu'il est avant les estoiles luisantes,
Tel il doit estre après les estoiles couchantes.
Il est commode aussi voir du mois finissant,
Et de celuy qui vient après luy renaissant,
245   Et l'une et l'autre quarte, ayant la fin derniere
Et de l'autre ensuyvant la nature premiere.
Car l'air est incertain, par les huict jours entiers
Que la Lune ne court par ses vagues sentiers,
Ne paroissant au Ciel, à faute de lumiere[40].
250   Doncques si d'an en an deuement tu considere'
Tout cela que j'ay dit, tu pourras prevenir
Par les signes de l'air aux choses advenir.

FIN.

L E S Œ V V R E S

P O E T I Q V E S

TOME SECOND

<VI>

LES ODES D'ANACREON (= t. I, p. 73)

<VII>

PETITES INVENTIONS (= t. I, p. 157)

<VIII>

PETITES INVENTIONS (nouvelles pièces de 1573-1574)

<IX>

CHANT DE TRIOMPHE (= t. III, p. 123)

<X>

DICTAMEN METRIFICUM   (= t. III, p. 103)

<XI>

<AUTRES POEMES de 1573-1574> (Rappels)

Le Mulet   (= t. V, XI)

Sur l'importunité d'une Cloche   (= t. V, XIII -5)

Sur la maladie de sa maistresse   (= t. V, XIII –6)

<XII>

ODE.

Sur les recherches de E. Pasquier
Celuy qui docte se propose   (= t. I, p. 237)

<XIII>

<VERS LATINS ET TRADUCTIONS>

De apibus polonis et R. Bellaqua   <Baïf = t. V, XI –b>
TRADUCTION DE QUELQUES SONNETS FRANÇOIS,

Arte laboratas doctæ   (= t. V, X –1)

Vivo tuis dum ego   (= t. V, X –2)

Blæsa illa mollicella   (= t. V, X –4)

Mille si violas   (= t. V, X –5)

Quam me decipitis   (= t. I, p. 177)

Mellitos dominæ videns   (= t. I, p. 178)

<XIV>
<POEMES NOUVELLEMENT EDITES EN
1578>

<XIV -1>

DE LA PERTE D'UN BAISER de sa maistresse[1].　　　[74v]

　　Quelle fiévre despiteuse,
　　Quelle audace sourcilleuse,
　　Quel outrage, quel malheur
　　A si tost emblé l'honneur[2]
5　Du teint du lis, de la rose,
　　Sur la bouchette déclose
　　De ma Dame, où le baiser
　　Qui me souloit appaiser
　　Estoit en garde asseurée
10　Dedans sa lévre succrée[3] ?
　　Le baiser qui mille fois
　　A fait l'ælle de ma voix
　　Cesser un vol pour élire
　　Une corde sur ma lyre[4] ?
15　Car si tost qu'elle tendoit
　　Sa bouche qui m'attendoit
　　Pour me darder une flame,
　　Qui brusloit l'une et l'autre ame,
　　Pour soupirer dedans moy
20　Le traict d'amoureux émoy,
　　Avec une douce haleine,
　　Une haleine toute pleine
　　De miel, de manne, d'odeurs,
　　De parfum et de senteurs,
25　En quel heur estoit ravie
　　L'esperance de ma vie ?
　　　Tout aussi tost je sentois
　　Glisser une douce voix
　　Begayant dedans ses roses,　　　　　　　　[75]

30   Et par ses lévres descloses
      Errante pour decevoir
      Mon cœur volant pour la voir.
         Mais las ! ores que je cuide
      Presser sa bouchette humide
35   Contre la mienne, et baiser
      Ce qui souloit m'appaiser,
      Je ne trouve plus les traces[5]
      Ny des Amours ny des Graces,
      Helas je ne trouve plus
40   En tout qu'un tombeau reclus
      Fait de la lévre blesmie
      De la bouche de m'amie.
         Et si croy asseurément
      Que Venus furtivement[6]
45   L'a pillé comme effrontée,
      Et comme femme éhontée
      En sa foy : car je sçay bien
      Que jalouse est de mon bien
      De long temps, et pour mieux faire
50   Son larcin veut contrefaire
      L'amoureuse en mon endroit :
      Et se vante avoir le droit
      En ce baiser, d'heritage.
         Car autre chose en partage
55   De son Adon ne receut[7],
      Après que mort l'apperceut,
      Sinon de soigneuse prendre
      Au bord de sa levre tendre
      Le baiser qui pallissoit
60   Sur l'amant qui finissoit.   [75v]
      Et dist qu'ell' le mist en garde
      Sur la bouchette mignarde
      De Madame, mais mon Dieu

Elle a remis en son lieu,
65 Et l'a derobbé à celle
Qui la rendoit immortelle,
A celle qui l'aimoit mieux
Que le rayon de ses yeux.
     Et c'est pourquoy ma mignonne
70 La faveur plus ne me donne
De ses baisers amoureux,
Trempez d'appas doucereux.
Car la bouche pilleresse,
Et l'audace larronnesse
75 De Cytherée a repris
Le baiser, qui m'avoit pris.
     Adicu donc lévre grossette,
Adieu rose, adieu perlette,
Adieu des plus riches fleurs
80 Et la grace et les odeurs :
Adieu branche coraline[8],
Adieu bouchette orpheline
Du baiser, qui de son beau[9]
Faisoit briller le flambeau
85 D'Amour, entre la closture
De ceste riche ouverture,
Qui monstroit mieux sa beauté
Que le cœur sa loyauté.
     Adieu larron de mon ame,
90 Baiser, nourriçon du basme,
Adieu, tant que j'aimeray   [76]
Sans toy je ne baiseray[10].

\<XIV -2\>

C H A N S O N

Oncques par traits ou par amorce[1]
Amour ne me donna l'entorce,

Pour esclaver ma loyauté
Sous l'empire d'une beauté,
5   Ny par tressure blondissante[2],
Ny par œillade languissante
D'un œil larron à demy clos,
Ny par les deux boutons eclos
Sur une lèvre coraline,
10   Ny par le laict d'une poitrine
Par les roses, par les œillets
Semez par deux monts jumelets :
Par une face destournée,
Ou faveur de couleur donnée
15   D'un bracelet, ou d'un anneau[3],
Ou d'un cordon, ou d'un chapeau,
Pris sur la tresse, ou d'une rose
Dans la blanche poitrine éclose,
Ou d'un doigt pressé doucement,
20   Ou d'un pié mis furtivement
Sur le mien, ny d'autre cautelle
Onc ne fut pris en sa cordelle.
    Je n'idolatre point les yeux[4] ;
Encores qu'ils decouvrent mieux
25   Le secret de nostre pensée,
Qu'une beauté si tost passée :
Non que je vueille mespriser   [76v]
La Beauté pour authoriser
La Vertu qui point ne dedagne
30   La Beauté pour humble compagne.
    Cela sied bien quand tous les deux
Se peuvent accoupler entre eux :
Car l'un et l'autre rend aimable
Son subject par eux desirable.
35   Mais puis que la fiere beauté
Plus souvent loge cruauté

Que vertu, et qu'en mesme place
Ne loge la crainte et l'audace[5],
Pour mieux recueillir le plaisir
40 Je voulu la Vertu choisir.
   Je suis amy des neuf pucelles,
Amy des Graces immortelles[6],
L'esprit me contente trop mieux
Ny que le teint ny que les yeux :
45 Il n'est point suject à la bize,
Tant plus vieillist, tant plus le prise :
La ride ny le changement
De l'âge n'ont commandement
Sur luy, et n'ont rien de semblable
50 A cest Archer, autant muable
Qu'un Protée, aussi peu durant
Qu'une fleur qui naist en mourant.
   Il tient encor de la nourrice[7],
Qui dedans la couche tortice
55 Nourrit sa mere entre les vents,
Troubles et mariniers tourmens :
Il en retient de l'inconstance
De la mer, et de la naissance   [77]
De sa mere, aussi le bourgeon
60 Retient du greffe, et le sourgeon
Du naturel de la fontaine,
L'herbe de l'humeur de la plaine,
De bonne semence bon grain,
De mere douce enfant humain.
65 Amour est oyseau de passage :
Car las ! aussi tost que nostre âge
Se rend de l'hyver compagnon,
Aussi tost s'envole mignon
Haut à l'effort, car sa nature
70 Ne peut endurer la froidure,

La vieillesse point ne luy plaist,
Aussi hors de son poinct elle est[8].

   Mais ny l'audace sourcilleuse
Du Temps, ny la Parque orgueilleuse
75 N'ont puissance ny d'outrager
La Vertu, ny de l'estranger :
    Et c'est pourquoy je la veux suyvre
Et par elle à jamais revivre.

<XIV -3>

COMPLAINTE
Sur la mort d'une Maistresse[1].

   Sacré Laurier, et toy gentil Ormeau[2]
Au tige verd et refrisé rameau,
Qui surpendus sur la grotte sauvage
Embrunissez l'herbe de vostre ombrage,
5 Ombrage frais où sont accompagnez
Les doux Zephyrs qui nous ont soulagez
Cent et cent fois, quand la Chienne aboyante[3]   [77v]
Nous chassoit loing sous la roche pendante
Madame et moy. Hé si vous sçavez bien
10 Quel heur m'estoit, et de plaisir combien
J'avois alors que d'une humble simplesse
Et d'un refus[4], ma gentille maistresse
Entre mes bras doucement se posoit[5]
L'œil demy clos, et puis se reposoit
15 Hà seigneur Dieu qui ne portoit envie
Au doux repos de mon heureuse vie ?

   Mais maintenant qui jette plus de pleurs,
Ou qui est plus abysmé de malheurs
Que moy chetif, chetif et misérable
20 Ne voyant rien qui me soit agreable ?
Soit que la nuict d'un voile brunissant
Couvre la terre ou que le jour naissant

Monstre par tout sa lampe journaliere,
Lampe celeste, et celeste lumiere,
25   Jamais l'ennuy, le travail soucieux,
Tant soit il peu donne trève à mes yeux.
    Tousjours tousjours ma playe se rempire,
Et peu à peu se mine en son martyre :
Comme en hyver l'on voit dessus un mont
30   Par le rayon que la neige se fond.
    Qu'est devenu le vermeil de la rose,
Le lis, l'œillet, et la richesse enclose
Entre les ronds de ce marbre enlevé⁶
D'un doux soupir vivement animé ?
35   Las il est mort ! et la fiévre rongearde
De ces beautez la grace a mis en garde
Entre les mains de l'avare nocher :
Cruelles mains, cousines d'un rocher,   [78]
Qui n'espargnez la beauté ny la grace,
40   Ains pesle-mesle, et d'une mesme audace
Les entassant en un mesme bateau⁷
Vous les passez à l'autre bord de l'eau
(Au moins ceux-la qui l'amour en leur vie
Ont bien traitté sans haine et sans envie)
45   De ce Royaume⁸ où sont les champs heureux,
Où en repos vivent les amoureux⁹.
    Là couple à couple on s'assiet sous l'ombrage
Des myrtes saints, escoutant le ramage
Du Rossignol : là les petits ruisseaux
50   D'un gazouillis imitent les oyseaux
A degoiser : là les douces haleines
Des vents mollets refraichissent les plaines,
Plaines qui sont d'un beau tapis de fleurs
Bien estoffé's en cent mille couleurs,
55   Que les ruisseaux de lait tousjours arrosent¹⁰,
    Où les Amans et nuict et jour composent

(Si nuicts y sont) le rond des chapelets
Dançant autour des myrtes verdelets.
   Là là jamais la foudre ny la gresle,
60   Ny le frimas le recoy ne martelle
De ces saints lieux : Là jamais la chaleur
Ny la froidure evente sa fureur.
De jour en jour une saison nouvelle,
Un beau Printemps tousjours se renouvelle,
65   Portant troussé le cheveu blondissant
Autour du rond d'un rameau verdissant,
Tenant en main sa Flore couronnée[11]
D'un verd tortis de myrtine ramée.   [78v]
Tous les pieds nus, portans tousjours entr'eux
70   En cent reflots ondoyez leurs cheveux.
On ne voit point qu'autre neige y descende
Qu'oeillets, que lis, que roses et lavande,
Rien que douceur, rien que manne et que miel
En ces beaux lieux ne distile du Ciel.
75   Adieu Lauriers, adieu grotte sauvage[12],
Prez, monts et bois, et tout le voysinage
Des chevre-piés Faunes et Satyreaux,
Et le doux bruit des argentins ruisseaux,
Adieu vous dy, ma Maistresse m'appelle :
80   J'aime trop mieux las ! soupirer près d'elle,
Que vivre en ris sans elle en ce bas lieu.
J'enten sa voix, adieu lauriers adieu.

<XIV -4>

LE DESIR[1].

   Celuy n'est pas heureux qui n'a ce qu'il désire,
Mais bien-heureux celuy qui ne desire pas
Ce qu'il n'a point : l'un sert de gracieus appas
Pour le contentement, et l'autre est un martyre.

5   Desirer est tourment qui bruslant nous altere
Et met en passion : donc ne desirer rien
Hors de nostre pouvoir, vivre contant du sien,
Ores qu'il fust petit, c'est fortune prospere.

     Le desir d'en avoir pousse la nef en proye[2]
10   Du corsaire, des flots, des roches et des vents :
Le desir importun aux petits d'estre grands,
Hors du commun sentier bien souvent les dévoye.

     L'un poussé de l'honneur par flateuse industrie
Desire ambitieux sa fortune avancer :   [79]
15   L'autre se voyant pauvre, à fin d'en amasser[3]
Trahit son Dieu, son Roy, son sang et sa patrie.

     L'un pippé du Desir, seulement pour l'envie
Qu'il a de se gorger de quelque faux plaisir,
En fin ne gaigne rien qu'un fascheux desplaisir,
20   Perdant son heur, son temps et bien souvent la vie.

     L'un pour se faire grand et redorer l'image
A sa triste fortune espoind de ceste ardeur,
Soupire apres un vent qui le plonge en erreur[4].
Car le Desir n'est rien qu'un perilleux orage.

25   L'autre esclave d'Amour desirant l'avantage
Qu'on espere en tirer, n'embrassant que le vent,
Loyer de ses travaux, est payé bien souvent
D'un refus, d'un dédain, et d'un mauvais visage.

     L'un plein d'ambition desireux de parestre[5],
30   Favorit de son Roy, recherchant son bon-heur,
Avançant sa fortune, avance son malheur,
Pour avoir trop sondé le secret de son maistre.

     Desirer est un mal, qui vain nous ensorcelle :
C'est heur que de jouïr, et non pas d'esperer
35   Embrasser l'incertain, et tousjours desirer
Est une passion qui nous met en cervelle[6].

Bref le desir n'est rien qu'ombre et que pur mensonge[79v]
Qui travaille nos sens d'un charme ambitieux,
Nous deguisant le faux pour le vray, qui nos yeux
40   Va trompant tout ainsi que l'image d'un songe.

<XIV -5>
D'UN BOUQUET ENVOYÉ[1]
le mercredy des Cendres.

Ce bouquet de menu fleurage
Vous servira de tesmoignage
Que nos beaux jours coulent soudain
Comme la fleur[2], et qu'il faut prendre
5   Le plaisir sans le surattendre
Ny le remettre au lendemain.
        Sans attendre que la vieillesse[3]
D'une froide et morne paresse
Rende nos membres froids et gours,
10   Passant en douceurs amoureuses
Et mignardises gracieuses
Ce qui reste de nos beaux jours.
        Aussi bien ceste Parque fiere[4]
Pour nous coucher dedans la biere
15   Desja nous attend sur le port,
Mon Cœur, croyez-moy je vous prie,
Passons doucement nostre vie,
On ne sent rien apres la mort.
        Rien n'y a d'apparence humaine,
20   Il n'y a sang, ni poux ny veine,
Cœur, poulmon, ny foye, ny ners,
Ce n'est rien qu'une Ombre legere
Sans sentiment et sans artere,   [80]
Proye de la terre et des vers.
25   Vous sçavez ce que dit le Prestre

Quand plus devot de sa main destre
De cendre il nous croise le front,
Clairement nous faisant entendre
Que nos corps sont venus de cendre
30 Et qu'en cendre ils retourneront[5].

<XIV -6>

A SA MAISTRESSE.

Ta bouche en me baisant me versa l'ambrosie,
Dedans le ciel vouté, dont se paissent les dieux,
Et moy en suçottant et ta langue et tes yeux
Je dérobé, larron, et ton ame et ta vie :
5 Ce fut au cabinet[1] où je pris amoureux
Les faveurs dont j'espere en fin me rendre heureux,
Cabinet le sejour des baisers et des Graces,
La retraicte d'Amour, où mourant de plaisir
Heureux je mis la main sur les mignonnes traces
10 Qu'Amour pour se loger a bien voulu choisir.
Sus donc approche toy et me baise mignonne,
Suçons et ressuçons l'un et l'autre à son tour
Le petit bout sucré que la mere d'Amour
A confit dans le miel des baisers qu'elle donne.
15 Las ! que dy-je mon Cœur ? à peine avons pouvoir
Vous et moy tant soit peu libres nous entrevoir,
Tant y a dessus nous de fenestres ouvertes[2] :
Mais si le feu d'Amour aussi vif que le mien
Eschaufoit vostre sang, vous auriez le moyen[3]
20 Trouver et temps et lieu pour soulager nos pertes.

<XIV -7>

LA NUICT   [80v]

O douce Nuict, ô Nuict plus amoureuse[1],
Plus claire et belle, et à moy plus heureuse

Que le beau jour, plus chere cent fois,
D'autant que moins, ô Nuict, je t'esperois.
5   Et vous du ciel estoiles bien apprises
A secourir les secretes emprises
De mon Amour, vous cachant dans les cieux[2]
Pour n'offenser l'ombre amy de mes yeux.

Et toy, ô Sommeil secourable ;
10   Favorable
Qui laissa deux amants seulets,
                Eveillez,
Tenant de la troupe lassée[3]
L'oeil et la paupiere pressée
15 D'un lien si ferme et si doux
Que je fus invisible à tous[4].

Porte benigne, ô porte trop aimable
Qui sans parler me fus si favorable[5]
A l'entr'ouvrir, qu'à peine l'entendit
20 Cil qui plus pres ton voisin se rendit.
Doux souvenir trop incertain encore
S'il songe ou non, quand celle que j'honore
Pour me baiser me retint embrassé,
Bouche sur bouche estroitement pressé ;

25 O douce main gentille et belle,
                Qui pres d'elle
Humble et secrette me tiras !
                O doux pas
Qui premiers tracerent l'entrée !   [81]
30 O chambrette trop asseurée[6]
D'elle, de l'Amour, et de moy,
Garde fidelle de ma foy.

O doux baisers, ô bras qui tindrent serre
Le col, les flancs, plus fort que le lierre
35 A petits nœus autour des arbrisseaux,

Ou que la vigne alentour des ormeaux[7] !
O lévre douce où goute l'ambrosie,
Et cent odeurs dont mon ame saisie
Se sentit lors d'une extreme douceur !
40   O langue douce, ô trop celeste humeur,
Qui sceut si bien les feux esteindre,
      Et contraindre
Soudain de ramollir l'aigreur
    De mon coeur !
45   O douce haleine soupirante
Une douceur plus odorante
Que celle du Phenix qui part
Du nid où en mourant il ard[8].

O Lict heureux, l'unique secretaire[9]
50   De mon plaisir et bien que ne puis taire,
Qui me fis tel que ne suis envieux
Sur le nectar, doux breuvage des Dieux.
Lict qui donnas en fin la jouissance,
De mon travail heureuse recompanse :
55   Lict qui tremblas sous les plaisans travaux,
Sentant l'effort des amoureux assaux.

Vous ministres de ma victoire
    En memoire   [81v]
A jamais je vous vanteray :
60   Et diray[10]
Tes vertus, ô lampe secrette
Qui veillant avec moy seulette
Fu part liberale à mes yeux
Du bien qui me fist tant heureux.

65   Par toy doublé et par ta sainte flame
Fut le plaisir, dont s'enyvra mon ame :
Car le plaisir de l'amour n'est parfait,
Qui sans lumiere en tenebres se fait.

O quel plaisir sous ta clairté brunette
70   Voir à souhait une beauté parfaite,
Un front d'yvoire, un bel œil attirant !
Voir d'un beau sein le marbre soupirant,

Une blonde tresse annelée
Crespelée :
75   En double voûte le sourcy
Raccourcy,
Voir rougir les vermeilles roses
Par dessus deux lévres décloses,
Et de la bouche les presser
80   Sans peur d'estimer l'offenser[11].

Voir un gent corps qu'autre beauté n'égale,
Où la faveur des Graces liberale
Des astres beaux, de Nature et des Cieux
Prodiguement verserent tout leur mieux.
85   Voir de sa face une douceur qui emble
L'un de mes sens, à fin que tous ensemble
Confusément cest heur ne prinsent pas   [82]
Pour se souler des amoureux appas.

Mais, Amour, pourquoy tes delices
90   Tes blandices
S'escoulent vaines si soudain
De ma main ?
Pourquoy courte la jouissance[12]
Traine une longue repentance
95   D'avoir si peu gousté le bien
Finissant qui s'escoule en rien ?

Jalouse Aurore et par trop envieuse,
Pourquoy fuis-tu la couchette amoureuse[13]
De ton vieillard, et ne hastes le temps
100 D'abandonner l'amoureux passetemps !
Puissé-je autant te porter de nuisance

Que je te hay : si ton vieillard t'offense
Cherche un amy plus jeune et plus dispos,
Et nous permets que vivions en repos.

<XIV -8>

D'une Dame[1].   [82v]

Bran vous me cajollez, laissez-moy, je vous prie :
Que cerchez-vous illà, vous n'y avez rien mis ?
Et sçay que vostre amour en autre lieu promis
Sera le seur tesmoin de vostre piperie.
5   Penseriez-vous, Monsieur, que j'aye esté nourrie
De si mauvais tetin[2], que je n'entende bien
Que voudriez, en passant, jouïr de l'amour mien
Pour faire puis après que tout le monde en rie[3] ?
Non non je ne suis pas de celles que pensez
10   Qui pour le seul plaisir tiennent recompensez
Les services qu'Amour pour ses travaux desire.
J'aime bien le discours, j'aime bien la vertu :
Mais j'aime mieux celuy qui brave a combatu
L'esperance, la peur, sa dame et son martyre[4].

<XIV -9>

Elle mesme[1].

C'est maintenant qu'il faut que librement je die
Tant m'estes importun, que vous me cajollez,
Taisez-vous[2] je vous pry, Monsieur, vous m'enjollez
De vos propos succrez qui m'ont toute estourdie.
5   Or qu'en me caressant, vostre ame, vostre vie[3],
Vostre espoir, vostre cœur, humble vous m'appellez,
Je sçay sous ces beaux mots que vous dissimulez,
Et cachez doucement le nom de vostre amie.
Anda je ne veux point vous servir de jacquet[4],

10   Je sçay ce que l'on dit, et comme le cacquet
      Mesme entre nos voisins se jette à l'avanture.
          Mais je merite bien avoir un serviteur
      Qui m'aime et me caresse et me donne son cœur,
      Et non pas de servir d'ombre et de couverture.

<XIV -10>

De la blesseure d'Amour[1]   [83]

          N'a gueres je vey ma Mignonne
      Qui façonnoit une couronne[2]
      De lis, de roses et d'œillets
      Et de cent boutons vermeillets,
5   Pour croistre de fueille honorée
      L'honneur de sa tresse dorée,
      Et l'émailler de cent couleurs,
      La troussant au rond de ses fleurs.
          Après l'avoir bien arrosée
10   D'eau de parfum, et bien posée
      Sur son chef, autour du chapeau
      Je vey ce petit Dieu oyseau
      Amour, qui tremoussant les ælles
      S'assiet sur ces roses nouvelles :
15   Puis sautelant à demy-tour
      Baisa doucettement l'entour
      L'entour de sa bouchette tendre,
      Mais las ! en se voulant étendre,
      Abaissant l'un et l'autre flanc,
20   Il se piqua jusques au sang
      Du bout d'une espingle attachée
      Sur les fleurs doucement cachée,
      Si bien que le sang qui couloit
      De son visage, et qui rouloit,
25   Le long de sa blanche poitrine,

Et de sa lévre couraline,
Meritoit mieux de surnommer
Une fleur, et la renommer,
Que celuy que la dent porchere
30   Tira de la cuisse tant chere   [83v]
D'Adonis[3]. Mais quoy ? voletant
Triste, fasché, tout sanglotant,
Portant la lévre déchirée,
La couleur palle, et empirée,
35   Volle à sa mere, et luy monstra
Sa douleur, et luy remonstra
Comme il recevoit une injure
Du bout d'une épingle parjure,
Parjure d'avoir traistrement
40   Navré ce Dieu cruellement.
Et s'il n'en avait la vengeance
Il jura que par la puisance
De sa fleche et de son carquois,
De son feu, de son arc turquois,
45   Que jamais ne darderoit flamme[4]
Sur la poitrine de la femme.
   Venus voyant perdre le sang[5]
Print en sa main un linge blanc
Pour luy ressuyer le visage,
50   Et pour addoucir le courage
Du mignon, qui se courrouçoit
Outre mesure, et qui tançoit,
Se print d'une face riante
Et d'une voix doucement lente
55   A dire ainsi, Ha n'as-tu pas
Sous l'amorce de tes appas
Cent et cent fois en eschaugette
Navré les cœurs d'une sagette ?
Et d'une fielleuse poison

60   Bruslé le sens et la raison ?
      Et causé dedans nos poitrines   [84]
      Une douleur, que les racines,
      Ny les drogues ny le sçavoir
      Du fils d'Apollon n'ont pouvoir[6]
65   De guarir, et que la pointure
      De ton dard est beaucoup plus dure
      Que celle qui t'a offensé
      Sans jamais y avoir pensé
      Et qui ne pense avoir sur elle
70   Pauvrette, une playe mortelle
      Que ton arc dessus moy vainqueur
      A bien causé dedans son cueur ?
        A peine eut finy la parolle
      Qu'Amour tout irrité s'envolle
75   En quelque secret inconneu :
      Car depuis il ne s'est point veu.
      Et c'est pourquoy ma toute belle
      Humaine se monstre et cruelle[7].

<XIV -11>

CHANSON[1].

       Autre maistre n'ay que l'Amour[2].
      Je le serviray nuict et jour :
      C'est pourquoy je l'ay fait seigneur
      Et de ma vie et de mon cœur.
5   D'estre serf point ne me desplait,
      Mon cœur estant si bien qu'il est
      Cent fois plus doucement traitté
      En service qu'en liberté.
       Aussi le maistre que je sers
10   N'est fascheux, rude ny divers
      Et si n'est pas courtois et dous   [84v]

A moy seulement, mais à tous.
 Quelque mal-plaisant, importun,
Mal-né, mal voulu de chacun,
15 Appellera ce Dieu cruel :
Mais je ne le cognois pour tel.
 Je n'ay de lui que du bon-heur,
Du plaisir et de la faveur,
Et qui vit sous luy langoureux
20 Je croy qu'il n'est point amoureux.
 Amour est compagnon du temps,
Et de l'Automne et du Printemps :
Moymesme ay son feu découvert
Dessous les glaces de l'hyver.
25 L'un porte le visage peint[3]
De palle frayeur qui le poind :
Et l'autre n'est jamais content,
Alteré du bien qu'il attend.
 L'esperance et le desespoir
30 Soit pour cil qui n'a le pouvoir
Acquerir, estant serviteur,
D'une maistresse la faveur.
 Quant à moy si j'avois le poinct[4]
Aymant, qu'on ne demande point,
35 Mais qu'on prend en temps et en lieu,
Je ne voudrois pas estre Dieu[5].

<XIV -12>

CHANSON[1].   [85]

Autre amour que le tien me vient à déplaisir,
Autre feu que le tien ne peut mon cœur saisir[2],
  La mort seule a pouvoir
  D'eschanger mon vouloir
5 Puis que de bien aimer tu te mets en devoir.

Mon cœur est un rocher haut élevé dans l'ær[3],
Que les flots ny les vents ne sçauroient esbranler,
    Ferme contre le vent
    D'un fascheux poursuyvant,
10   Qui jaloux de mon heur mon bien va decevant.

Le jour que dans mes yeux Amour de son beau trait
De vostre grace belle engrava le portrait,
    Ce jour comme vaincueur
    Se fist Roy de mon cueur
15   Et tyran, de ma vie empieta le bon-heur.

Je tenois ces propos m'estimant bien-heureux
Lors que de vos beautez je devins amoureux.
    Mais hà traistre cruel
    Maintenant tu n'es tel,
20   Amour, dont je cognois que tu n'es immortel[4] !

Car les Dieux de là haut ne sont vains ny menteurs,
Ils ne sont médisans, imposteurs ny trompeurs :
    Tu n'as jamais esté
    Qu'un pipeur effronté,
25   Ennemy conjuré de toute vérité.

    Où sont les beaux discours dont sot je me paissois,
Maistresse ? où est le temps qu'abusé je pensois
    Avoir conquis cest heur
    D'estre ton serviteur,
30   Et maintenant je voy que ce n'est que rigueur.   [85v]

    Quelque temps j'ay vescu plus content que les dieux
Abusé de ta bouche, abusé de tes yeux :
    Maintenant tu me dis
    Que libre tu ne puis
35   Aimer[5], et plus te suy Maistresse et plus me fuis.

Je n'avois rien plus cher pour gage de ma foy
Qu'un seul petit escript que je gardois de toy[6],
    Pour fidelle tesmoin
    De l'amour peu certain,
40   Mais tu l'as importune arraché de ma main.

Adieu Maistresse adieu, ou traitte mieux mon cœur,
Que n'as[7] depuis un an qu'il est ton serviteur :
    Malheureux est pour vray,
    Maistresse je t'en croy,
45   Qui vit en serviteur et qui peut estre à soy.

<XIV -13>

COMPLAINTE.

Je n'ay membre sur moy, nerf, ny tendon, ny veine
Qui ne sente d'amour l'amoureuse poison[1],
J'en atteste le ciel, mon ame, et ma raison
Vostre bouche et vos yeux seurs tesmoins de ma peine

5   Mais plus je le vous dis et moins vous le croyez[2],
Plus vous rens descouvert le secret de mon ame,
Moins il vous apparoist, plus vous monstre ma flame
Et ma playe cruelle, et moins vous la voyez.

Plus je me monstre bon, et moins vous m'estes bonne,
10   Plus je pense estre aimé de vos gentes beautez,
Plus je sens de vos yeux les rares cruautez,
Plus je pense estre libre et plus je m'emprisonne.   [86]

Plus j'honore, craintif, la grave majesté
De vostre front maistresse, et l'influence heureuse
15   De vostre esprit gentil, plus m'estes rigoureuse :
Plus m'approche de vous, et plus suis rejetté.

Je n'ay rien de l'Amour que la crainte et la honte :
Car vous dites tousjours en vous moquant de moy,

Non que je n'aime point, et si je vous aimoy,
20   De vous voir plus souvent que serois plus de conte[3].

Plus vous en quiers mercy, et plus vostre rigueur
S'enaigrist contre moy, plus d'un œil pitoyable
Je demande pardon plus estes imployable,
Plus je vous sers mon Cœur, et moins ay de faveur.

25   Oreste appaisa bien les fureurs vengeresses
De sa mere outragée[4], et aux Ombres d'Hector
Achille pardonna[5], au ciel les Dieux encor
Pardonnent aux humains leurs fautes tromperesses.

Le vent n'esprouve pas dessus les arbrisseaux
30   Sa force violente, il froisse, il déracine
Les vieux chesnes branchus, il cerche la marine,
Les roches et les monts non les petits ruisseaux.

Or j'estime à grand heur avoir eu quelque place
Au fort de vostre cœur[6], mais aussi je n'ay pas
35   L'ame si trescouarde, et le cœur si tresbas
Que je ne pense aimant meriter quelque grace.

Vous distes qu'en aimant vous voulez estre aimée,
D'autres armes Amour s'est-il jamais armé ?
Mais je scay qu'en aimant je ne suis pas aimé,
40   Ce qui rend de souspirs ma complainte animée.

Un plus cheri que moy des Graces et des Dieux,
Du Ciel et de Fortune, et de plus prompte flame
Vous pourra bien aimer : mais de plus gentile ame,   [86v]
Si ce n'est Amour mesme, il ne peut aimer mieux

45   Mais je me plains en vain à vous inexorable,
Sans mercy, sans excuse, et bref de me douloir
Est embrasser le vuide, et sans raison vouloir
Ecrire dessus l'eau, et reconter le sable[7].

<XIV -14>

AMOUR MEDECIN.

    La larme à l'œil sur la bouche à Madame[1],
Lors qu'elle estoit en son accez fievreux
J'alloy cueillant un baiser savoureux,
Tel que celuy que le pigeon peureux
5   Prend fretillard pour appaiser sa flame.
    Elle des mains mises devant sa bouche
Le destournoit ne voulant qu'il fust pris[2],
Craignant que deux d'une fiévre surpris,
Comme ils estoient de mesme flamme épris,
10   Ne fussent morts en si douce escarmouche.
    Disant, Mon Dieu, d'une voix foible et lente,
N'achepte point si cherement cest heur,
Ce vain plaisir, ce tant peu de faveur,
Leger payment de si griefve douleur,
15   Et te repais d'une plus douce attente.
    Alors le trait de ma langue animée.
Poussant fait breche, entre et gaigne le fort[3],
Tant que forcée elle endure l'effort
De ce baiser qui vient à mon support
20   Sur le rempart de ceste bouche aimée.
    Restant vainqueur je gousté les delices
De ce baiser qu'on m'avoit refusé :
Car mon dessein tant fust authorisé   [87]
Du dieu d'Amour, qu'il fust favorisé
25   Cueillir le fruit de mes douces malices.
    Morte revient, et guarist de ses peines
Sans m'offenser de sa fievreuse humeur,
S'on ne disoit l'amoureuse fureur
Estre un chaud mal, une fievre, une peur
30   Qui va glaçant le sang dedans les veines.

Depuis Phoebus ne fist la medecine[4]
Mais surmonté et vaincu de l'Amour
De son bon gré luy quitta dès ce jour
L'art de guerir des fiévres à son tour
35   Tant fut d'Amour la puissance divine.

<XV>

SONNETS

<XV -1>

Quand j'entrevoy ceste espaule avancée[1],   [87]
Ce pié croisé, ceste tremblante voix,
Ce dos courbé, ainsi qu'un arc Turquois,
La barbe blanche et la face abaissée :
5   Quand j'entrevoy ceste ride enfoncée
Dessus le front à cacher tous les doigts[2],
Cet œil cavé d'un corps sec comme bois,
Un amas d'os, la dent noire émoussée :
Quand j'entrevoy ce masque, ce tombeau,
10   Se mettre en poinct, contrefaire le beau,
Et sous la cendre, une flamme conceüe :
Je dis alors, voyant ce corps perclus[3]
Faire l'amour et qui ne marque plus,
Qu'on cognoist l'age et la force à la queüe[4].

<XV -2>

Je fuy comme la mort ceste vieille importune   [87v]
Qui deçà qui delà me suit de toutes parts,
Qui m'espie et m'aguette, et de poignans regards[1]
Me tient ensorcelé de façon non commune.
5   Pren pitié de mon mal et chasse l'infortune
Dont je languis, Amour, et que ses yeux paillards

Ne me poussent jamais aux perilleux hazards
D'une si violente et mauvaise fortune.
    C'est un gouffre, une mer, un abysme profond,
10   Une hale, un esgout, une bourbe punaise[2],
Un soupiral venteux, une chaude fournaise,
    Une mare, un fangeas qui n'a rive ni fond,
Que je sens, que je voy, et ne puis m'en distraire
Tant le destin me force à suyvre mon contraire.

<XV -3>

A sa Maistresse.

    Ne croyez pas qu'une fascheuse absence[1]
De vos beaux yeux, Maistresse, ait le pouvoir
De me tirer du service et devoir
Qu'humble je dois à vostre souvenance.
5   Ne croyez pas qu'elle ait ceste puissance[2]
Dessus mon cœur, qui ne peut concevoir
Que vos beautez, qui pourroyent émouvoir
Un rocher mesme à vostre obeissance.
    Non non mon cœur n'est pas un feu couvert,
10 Un petit feu épris en un bois vert,
Qui meurt soudain, soudain s'on ne l'attise[3] :
    Le mien est prompt meslé de soufre vif,
Qui jusqu'à l'os me consomme hastif,
Et dont mon ame est follement esprise[4].

<XV -4>   [88]

J'avoy n'a pas long temps fait esclave mon cœur, ...
Se trouvant sur le port, fuit les rochs sourcilleux[1].
          (= t. IV, 2de J. , XV -47)

<XV -5>

Ce beau front relevé la demeure des Graces,
Ces deux astres jumeaux la retraite d'Amour[1],
Ce coural soupirant le gracieux sejour
Où les baisers mignars de long temps ont leurs places,
5   Ce discours amoureux où les douces fallaces,
Les ruses, les attraits sejournent tour-à-tour
Causent que je languis et la nuit et le jour
Sous l'effort rigoureux de ses fieres menaces.
Ce crespe d'or frisé me fait devenir glace,
10   Et de palle frayeur me fait blesmir la face,
Mais ses yeux ont pouvoir de me faire une roche[2].
Son ombre me fait peur, sa presence m'altere
Et pers le sentiment quand d'une œillade fiere
Me dédaigne et ne veut que d'elle je m'approche[3].

<XV- 6>   [88v]

Ce jourdhuy que chacun prodigue sa largesse,
Liberal je vous donne en estreine mon cœur[1] :
Encor que le present soit de peu de valeur,
Ne le refusez pas je vous supply maistresse.
5   Logez -le près du vostre, et soyez son hostesse,
Il n'est pas importun, rapporteur ny menteur,
Et sçay qu'il vous sera fidele serviteur,
Si de vous il reçoit quelque douce caresse[2].
Donnez-luy tant soit peu d'honneste liberté,
10   Ouvrez-luy le thresor de vostre volonté,
Soyez-luy comme un roch constante et non muable,
S'il peut gaigner ce poinct[3] il est recompansé
Des faveurs qu'il pretend, et trop mieux avancé
S'il cognoist seulement qu'il vous soit agreable.

<XV- 7>

Allez[1] mon Cœur, le secours de ma vie,
En qui j'espere avancer mon bon-heur,
Le ciel benin, le soleil net et pur
Vous accompagne et sans vent et sans pluye.
5 Que l'Aquilon n'évente sa furie,
L'air son courroux, ny l'hyver sa rigueur[2]
Contre ce front, dont la fiere douceur
De ses attraits a mon ame ravie.
Un doux Zephyr, un eternel Printemps,
10 Mille amoureaux et mille passetemps,
A petits sauts volent tousjours près d'elle[3],
  Mais appaisant vostre orage mutin
Dieux, appaisez le sien, à celle fin
Qu'à son retour ne me soit plus cruelle.

<XV- 8>

Un si gentil esprit que le vostre, Maistresse,   [89]
N'est point sans sentiment des amoureux appas,
On le voit à vos yeux, on le voit à vos pas
Pleins de la majesté d'une grande Princesse[1].
5   On le sent aux baisers, on le voit à la tresse
De ce poil chastaignier qui me tient en ses las[2],
Encore vous le niez : peu d'honneur ce n'est pas[3]
D'un grand Dieu comme Amour se pouvoir dire hostesse.
  Doncques je vous supply, ne dites plus, mon Cueur,
10 Qu'Amour mesme des Dieux et des hommes vaincueur
Ne tient plus assiegé le rempart de vostre ame :
  Ou ne me faites plus cest accueil gracieux,
Et ne jettez sur moy le charme de vos yeux :
Lors je confesseray que n'aimez point, ma Dame.

<XV -9>

N'est-ce un grand mal, dites je vous supplie,
Estre nay libre et n'avoir liberté[1],
Avoir des yeux et ne voir la clairté
Du beau Soleil[2] qui me donne la vie ?
5   N'est-ce un malheur lors qu'il nous prend envie
De soupirer, avoir l'air arresté[3]
De nos poulmons ? n'est-ce une cruauté
Qu'il faut se taire estant près de s'amie ?
Or tout ainsi qu'un palle criminel
10   Qui languissant dessous l'ombre eternel
D'une prison, la lumiere réclame[4] :
Ainsi je vis absent de vous, mon Cueur,
Morne, pensif, aveugle et plein de peur,
La glace au front et le feu dedans l'ame[5].

<XV- 10>

Sur une Lettre bruslée.   [89v]

O cruauté d'Amour, sera donc toy Vulcan[1]
Qui bruslera, cruel, de flamme vengeresse
La lettre que la main de ma chere maistresse
Secrette m'escrivit aux premiers jours de l'an[2] ?
5   Est-ce le souvenir de ce Dieu Thracien
Qui l'espoinçonne encor de jalouse destresse[3]
Lors que ta femme et luy, de chaisne tromperesse
Couplez devant les Dieux tu les mis au carquan ?
Vulcan, je ne suis pas de nature guerriere,
10   Ne sois jaloux de moy, et ne soit heritiere
Ta flamme de la lettre où je vois peint mon heur :
Mais s'il la faut brusler, ta force je despite,
Amour me voulant bien, l'a de son trait escrite,
Pour la sauver du feu, au profond de mon cœur.

<XV- 11>

Vous me dites sans fin, et le tiens pour le seur
Que ne voulez aimant en rien estre forcée,
Qu'il ne soit verité, je vous vey courroucée
Hier quand maugré vous je vous baisé, mon Cœur[1].
5   Doncques je vous supply pour m'oster ceste peur
Desormais tant soit peu de vous rendre offensée,
Humaine pardonnez à ma chaste pensée,
Et remettez la faute aux traits de ma fureur.
    Fureur qui nuict et jour me travaille sans cesse,
10   Qui va troublant mon ame et me force[2] et me presse
Presque de vous forcer meu de vostre beauté.
    Las ! c'est moy qui forcé languis dessous la force
De vostre majesté : mais quoy ? plus je m'efforce
Humble de vous servir, moins ay de liberté.

<XV -12>   [90]

Deux ans sont jà passez, vous le sçavez Maistresse,
Quand pour vous estrener je vous donné mon cœur,
Qui depuis est resté vostre humble serviteur[1]
Sans vous avoir manqué de foy ny de promesse.
5   Traittez-le humainement et luy faites caresse
Seulement d'un trait d'œil, ou de quelque faveur[2]
Dont il puisse alleger la charge de malheur
Qu'il souffre en bien servant une si fiere hostesse.
    Non ne le faites pas[3], traitez-le rudement,
10   Je connois son humeur, il vous sert seulement
Pour tirer du plaisir de son plaisant martyre[4].
    Je tenois ces propos quand mon cœur dépité
Dist, J'aime mieux cent fois perdre ma liberté[5]
En servant ses beautez qu'estre Roy d'un Empire.

<XV- 13>

Maistresse croyez moy je ne suis point menteur,
J'en appelle à tesmoin les troupes immortelles[1]
Quand en mes jeunes ans ce Dieu qui a des ælles
Ficha premierement ses traits dedans mon cœur[2].
5   Oncques je ne senti l'amoureuse rigueur
Ny le fer aceré de ses fleches cruelles,
Si fort que maintenant que sous vos graces belles
Avez plongé mon ame en extreme fureur.
A cela je le sçay, vous me direz, Maistresse,
10   Que la flamme d'Amour n'est pas souvent l'hostesse
De l'hyver bruineux qui rend le poil grison[3].
Je sçay bien toutesfois que les flammes plus fortes
Croupissent bien souvent dessous les cendres mortes,
Et que feu s'allume en tout bois de saison[4].

<XV -14>   [90v]

Douce mere d'Amour, mais farouche et cruelle
Aux hommes fourvoyez qui vont suivant tes pas,
Mere je te supply ne me recherche pas
Pour me dresser encor quelque embusche nouvelle[1].
5   Je n'ay que trop languy durant la saison belle
De mon gaillard Printemps[2] sous les sorciers appas,
Puis maintenant recreu, mal armé, foible et las
Tu me viens, importune, appeller en querelle[3].
10   Je tenois ces propos quand vostre bouche tendre[4]
Vinstes joindre à la mienne, et bord à bord estendre
Le coral soupirant de vos lèvres, mon Cœur.
Alors je reconneu que toute ame gentile
Est capable en tout temps de sa flamme subtile,
Et qu'il est malaisé d'eviter sa fureur.

<XV -15>

Depuis que je baisé ta bouche vermeillette[1],
Et que je suçotté le petit bout moiteux
De ta langue succrée, et tasté bien heureux
L'yvoire doux poly de ta cuisse douilllette[2] :
5 Depuis je n'eu repos[3], une flamme secrette
Aussi tost dans mon ame escoula par les yeux,
Et de soupirs ardans un escadron venteux[4]
Près d'elle se campa pour servir d'échauguette.
   Qui dormiroit, mon Cœur, nourrissant dedans soy
10 Tant d'ennemis ensemble, ainsi que dedans moy
Sans trève nuict et jour je nourris miserable ?
   Mais sachant bien, mon Cœur, que sous vostre bonté
Vous ne cachez rigueur, dedain ny cruauté,
J'espere qu'à mon mal vous serez secourable.

<XV- 16>   [91]

Eussè-je autant de fois baisé ta bouche tendre,
Ta paupiere, ton œil, ta gorge, ton beau sein,
Que j'ay baisé de fois la lettre que ta main
Depuis trois jours, mon cœur, secrette m'a fait prendre[1].
5 Eussè-je autant de fois retiré de la cendre
Des sepulchres Gregeois, et du marbre Romain[2]
Pour celebrer ton nom quelque antique dessain,
Que j'ay releu de fois le sujet pour l'apprendre.
   Or le sçachant par cœur le plongé dans le feu[3]
10 Sous le papier musqué : aussi tost je l'ay veu,
En cendre s'amortir, et promptement s'esteindre,
   Est-ce le feu, mon Cœur, qui me brusle importun,
Plus celeste et plus vif que le nostre commun ?
Ouy : car le plus ardant gaigne tousjours le moindre.

\<XV -17\>

Vous me dites sans fin que ce n'est la saison
De suyvre de l'Amour l'inconstance legere,
Qu'il faut matter sa chair et se mettre en priere
Humblement devant Dieu dressant son oraison.
5   M'amour je le confesse, helas c'est bien raison[1]
En ce temps miserable addoucir la colere,
Et le trait punissant que darde sa main fiere
Sur le chef de nos Rois, leur sceptre et leur maison[2].
      Plus me mets en priere et plus fais penitence
10   Moins je sens addoucir vostre fiere arrogance,
Plus veux domter ma chair plus rebelle apparoist[3].
      De jeusne et d'oraison l'ire de Dieu s'appaise
Plus je vous vay priant moins plaignez mon malaise,
Plus me faites jeusner, plus l'appetit me croist.

\<XVI\> CARTEL[1]   [91v]

Des Chevaliers d'Amour.

1575. le 3 Juin.

\<XVI -1\> AUX DAMES.

Dames, dont les vertus et les rares beautez
Animent aux combats les promptes volontez
De ces jeunes guerriers, je vous supply de croire
Que la Mort de l'Amour[2] n'emporte la victoire :
5   Bien meurt ce masque[3] feint, qui sans affection
Sans foy, sans loyauté, farde sa passion,
Ce fantosme d'Amour qui en naissant avorte
Indigne des honneurs de ce beau nom qu'il porte[4],
Ce Mattois, ce pipeur, ce Démon, ce Lutin,
10   Inconstant, passager, et volage, et mutin,

Qui se repaist, friant, d'amorces tromperesses,
De surprises, d'attraits, de ruses piperesses,
Et qui charmant nos yeux n'entre jamais au cœur.
Tel Amour vieillissant, perist[5] en son erreur.

15   Mais l'autre[6] est immortel, les faveurs de sa grace
Tirent du ciel voûté le germe de sa race,
C'est le mignon choisi des hommes et des Dieux,
Le fidele entretien de la Terre et des Cieux,
Des Elemens confus la liaison premiere[7],
20   De ce grand Univers la feconde matiere :
De ses traits empennez le violant[8] effort
Ne se peut alterer par échange de mort[9] :
C'est une passion, un desir, une flame,   [92]
Qui fait la sentinelle au rampart de nostre ame,
25   Et guide nos pensers : C'est une deïté
Estroittement unie à l'immortalité.

Amour est tout divin, le Destin ny l'Envie
Ne sçauroyent retrancher les souspirs de sa vie[10] :
Car estant immortel, la Terre ne peut pas
30   Trionfer de ce Dieu, affranchi du trespas,
Et s'il mouroit encor, plus noble sepulture
Ne prendroit que vos yeux, sa douce nourriture :
Car de vous il prend vie, et dans vos cœurs épris
Se repaist, immortel, de vos divins esprits.

35   Amour jamais ne meurt, sa divine semence
Tousjours retient l'odeur de sa premiere essence :
Et ne faut s'attrister ny porter le grand dueil
Comme s'il gisoit mort dans le fond d'un cercueil :
Il loge en vos beaux yeux, qui de flammes cruelles
40   Nous alterent bruslant jusques dedans les moüelles,
Et vivant et voyant nous le sentons en nous
Tantost comme tyran, tantost benin et dous.

      Cause que nous voulons en foule, ou en carriere[11],
      A cheval, ou à pié, ou joints à la barriere
45   Maintenir que l'Amour est plus vif et plus fort,
      Plus gracieux et doux, et cent fois plus accort
      Qu'il ne fut onc çà bas, asseurant que les Dames
      Hostesses de ce Dieu, et de ses vives flames,
      Ont plus de loyauté, de grace, et de douceur,
50   Que ne peut meriter un loyal serviteur[12] :
      Et que jamais Amour, quoy que l'on vueille dire,
      Ne porta l'arc en main en un plus doux Empire.

<XVI -2>   [92v]

CARTEL.

      Ces Chevaliers d'honneur qui n'ont rien dedans l'ame,
      Ny plus avant au cueur que l'amoureuse flame
      Qui sort des traits aigus de ce petit Archer,
      Quand de son arc voûté viennent à décocher,
5   Advertis[1] qu'en ce lieu se dressoit une lice
      Pour rompre ou pour jouster, et pour faire exercice
      Des Armes, et d'Amour, et par acte guerrier
      Porter le front couvert de l'honneur d'un Laurier,
      Sont venus en ce lieu pour mettre en evidence,
10   Faisant à coups de main preuve de leur vaillance
      Et courage gentil, voulant montrer à tous
      Qu'à la seule faveur d'un œil gentil et doux
      Ne veulent espargner ny le sang ny la vie,
      Ny le bien, ny l'honneur, et que la seule envie
15   Qu'ils ont de vous servir[2], est cause qu'en ce lieu
      Sont arrivez soudain tous épris de ce Dieu
      Que l'on appelle Amour, pour monstrer leurs proüesses
      Devant les yeux mignars de leurs chastes maistresses,
      Et pour espandre aussi et la vie et l'honneur
20   Pour acquerir sans plus le nom de serviteur.

<XVI -3>

CARTEL.

Dames dont les beautez et les douces faveurs
Animent aus combats cent et cent serviteurs,
Les repaissant d'honneur qui brave les convie
Perdre pour vos beaus yeus et le sang et la vie :
5   Croyez je vous supply que ces deux Chevaliers,
Hommes faits et choisis, bons et vaillans guerriers,   [93]
Amoureux de vertu et d'honneur et des armes,
Ensemble ont resolu, non par feintes allarmes,
Par soupirs redoublez, ou par affection
10 D'un langage fardé de vaine passion[1],
Acquerir les faveurs d'une belle maistresse.

Mais ils veulent premier que la seule proüesse
Serve de truchement et soit l'avantcoureur
Pour fidelle tesmoin de ce qu'ils ont au cœur,
15 Jurant devant vos yeux qu'ils n'ont volonté d'estre
Esclaves de l'Amour, sans vous faire parestre
L'effet de leur merite, ou soit à coups de main,
A cheval ou à pié, ou par autre dessain
Qui se peut pratiquer en foule ou en carriere[2]
20 Deux à deux, seul à seul, ou de lance guerriere
Se choquer brusquement et rompre de droit fil[3],
Non pas de conquester par un moyen subtil
Comme estre bien en poinct, ou de porter visage
Sous le charme sorcier de quelque doux langage,
25 La moindre des faveurs que vos rares beautez
Donnent pour recompense à tant de loyautez.
Non, ils ne veulent pas s'allumer de la flame
Qui reschaufe le sang et glisse dedans l'ame[4]
Doucement par les yeux, que devant ne jugez[5]
30 S'ils meritent cest heur d'estre mis et rangez
Entre ceux que l'Amour et l'honneur favorise[6].

Voulant donc mettre à fin ceste belle entreprise
Sont venus en ce lieu pour mieux faire paroir
Et reconnoistre à l'œil l'effet de leur devoir,
35   En ce lieu plein d'honneur, en ce lieu venerable,
Lieu comblé de vertu et grace incomparable
De cent rares beautez qui mettroyent en erreur   [93v]
Un cœur, fust-il de roche ou de metal plus dur :
Et tout ainsi qu'on voit la couleur blanche et nette
40   Sur toutes apparoistre excellente et parfette[7] :
Ainsi l'affection de nostre loyauté
Est sincere et parfaite en toute pureté.

Doncques si vous voyez que par nostre vaillance
Nous puissions meriter quelque peu d'asseurance
45   De vous faire service et de nous rendre heureux,
Je sçay que vous avez le cœur si genereux,
Que vous embrasserez de volonté meilleure
L'honneur et la vertu qu'une grandeur malseure,
Qu'une vaine richesse, ou quelque grand thresor :
50   Car la vertu vaut mieux qu'une montagne d'or.

<XVI -4>

CARTEL.

Ce jeune Chevalier[1] en tous nouveaux allarmes
Amoureux de l'honneur, et d'Amour et des armes,
Ores qu'il soit foiblet à porter le harnois
A cheval ou à pié, ou à rompre le bois
5   Justement de droit fil d'une lance guerriere,
Manier de pié coy, en rond ou en carriere
Le cheval courageux, a sceu[2] qu'un grand tournoy
Se dressoit promptement en la Cour d'un grand Roy,
Et que nul n'y pouvoit y monstrer sa proüesse
10   Sans porter les faveurs d'une belle maistresse.

Doncques je vous supply par vos rares beautez,
Source de cent rigueurs et de cent cruautez,
Par les chastes attraits de vostre bonne grace, [94]
Par le crespe doré qui luit sur[3] vostre face,
15 Par toutes les bontez et toutes les douceurs
Qui logent dans votre ame et travaillent nos cœurs,
Me faire tant d'honneur en ceste fleur premiere
D'une douce faveur honorer ma priere :
Me sentant animé[4] du gracieux accueil
20 De vostre bonne grace et faveurs de vostre œil,
J'espere, courageux, de vous faire parestre
Qu'au monde n'y a rien qui mieux arme la destre
D'un jeune Chevalier, et luy hausse le cœur
Qu'Amour, guide fidelle à rechercher l'honneur.

\<XVII\>
\<POESIES DIVERSES\>

\<XVII -1\>
A L'AMOUR

Ta fleche, ton arc me deplaist,
Ton aigre-dous[1] plus ne me plaist[2],
Amour, si j'estois en galere
Plus d'heur j'aurois estant forcere,
5 Que de voir à chasque moment
En moy naistre un nouveau tourment.
Je suis lassé d'estre à la touche,
J'ay tousjours le fiel[3] en la bouche,
J'ay tousjours les pieds enchaisnez,
10 Les membres rompus et gesnez[4]
De suyvre l'ombre de tes pas
Sous l'amorce[5] de tes appas.
Plus je ne vais à tes brisées,

Ny par tes flammes attisées,
15   Affranchi de ta passion,
Morte est en moy l'affection
Qui brusloit la tendre jeunesse
De mon cœur, et de sa maistresse.   [94v]

Or va donc en Gnide ou Paphon[6],
20   Evolé plaisantin boufon :
Va donc, et le reste empoisonne
Du ciel, et de çà bas[7] moissonne
Les cœurs de la flamme qui part
Du fer aceré de ton dard.

25   Mais ores me vient aux oreilles
Je ne sçay quoy de tes merveilles,
Je ne sçay quelle baye encor
De fleches à la pointe d'or,
Et mille et mille autres volées
30   De rebouchantes et plombées[8] :
Et bref un discours envieux
D'avoir mesme esclavé les Dieux
Sous le joug[9] : mais si j'ay memoire,
Voy la brave et gente victoire,
35   Quand ton pere au bras rougissant[10],
Sous le pié laissa languissant
Le feu brillant de son tonnerre
Pour faire l'amour en la terre
Empruntant quelque corps nouveau,
40   Comme d'un Cygne ou d'un Toreau[11].
Bref toute la troupe immortelle
A nourry la playe cruelle
De tes traits en pointe acerez
Dedans leurs estomachs sacrez :
45   Citoyens de l'estoilante arche[12]
Jusqu'à la boiteuse démarche

De ce forgeron Lemnien[13],
Et de l'Amphitryonien
Ce faquin[14] d'Hercul que l'on vante   [95]
50   Avoir eu la main si vaillante :
Je sçay que ton bras a donté
Tout ce que sous le ciel voûté
S'eschaufe, s'accroist et soupire :
Je sçay que ta chaleur inspire
55   L'ame mouvante aux elemens[15],
Sondant jusques aux fondemens
De la long-bruyante marine
Pour brusler la chaste poitrine
Des filles de Phorce aux yeux pers[16] :
60   Bref tu tiens de cest univers
La serve et tournoyante bride,
Tu es et l'escorte et la guide
Des feux qui roulent par les cieux,
Et de la volonté des Dieux.

65   C'est toy qui les ælles legeres
Du Destin serves messageres
Retranches à ta volonté[17] :
C'est toy qui premier garotté
As d'une chaisne[18] mutuelle
70   L'alliance perpetuelle
Des choses en confusion :
C'est toy qui fis sejonction
Des semences de toutes choses
Au sein de ce chaos encloses.

75   Tu es le repos eternel,
Et l'entretien continuel,
Et le seur appuy de Nature :
Tu trampes de miel la pointure
De nos desastres, retenus

80   Au sein de ta mere Venus   [95v]
       Avecques les Graces bien-nées,
       Et les tardives destinées.

       Tu pais nos amoureux desirs
       Du nectar doux de tes plaisirs :
85   Mais aussi j'ay bien cognoissance
       Comme plus souvent ta puissance
       Se tire en sinistres dessains,
       Et comme tes brigantes mains
       Arrachent, vollent et tenaillent,
90   Pillent, tourmentent et travaillent
       Nos cœurs pauvrement languissans
       Sur le fil de nos meilleurs ans.

       Ainsi doncques te soyent taillées
       Les mains, et tes fleches rouillées
95   Si tu les forces d'aborder
       Nos cœurs, et ton arc encorder
       Pour les enferrer de ta fleche,
       Qui nous sert d'amorce et de meche,
       Pour nostre bon-heur estranger
100   Et en furie le changer.

       Mais en ce, cognoissant tes ruses
       Et le payment de tes excuses,
       Je me suis tellement distrait
       De ta visée, que ton trait
105   Mordre ne peut dessus mon ame,
       Ny la brusleure de ta flame,
       Ny la force de ta rigueur
       Seulement attiedir mon cœur.

       Voy donc que j'ay laissé les armes,
110   Mes yeux ne fondent plus en larmes,
       Et plus n'en sortent deux ruisseaux,   [96]

Plus je n'ay de soupirs nouveaux :
Ma froide poitrine eschaufée
Plus ne me charme une boufée
115   De flots roulez en crespillons[19],
Où mille et mille évantillons
D'Amour soufflent nouvelle peine
Au soupir de leur douce haleine.

L'œil[20] qui s'eslevoit à l'égal
120   D'un front d'yvoire ou de crystal,
Nouant d'une douceur benine
Dessous une voûte ebenine[21],
De ses rayons me dardoit lors
D'une secousse mille morts :
125   Mais maintenant le penser mesme
Me cause une douleur extréme,
Me hayant moymesme en pensant
Cela que j'allois pourchassant.

La bouche au dedans emperlée,
130   La neige sur le sein coulée,
Et les deux tertres jumelets,
Le lis, les roses, les œillets,
Et mille beautez que Nature
Prodigue en telle creature,
135   Me sont comme masques ternis
Et de ceruse et de vernis.

Or Amour contre ta rudesse
N'ay-je pas une forteresse ?
N'ay-je pas un rempart d'airain
140   Contre les efforts de ta main ?
S'onq tu trainas l'æelle pendante
Et ta sagette languissante :   [96v]
Maintenant tu peux bien voler

     Sans armes, sans arc parmy l'ær,
145   Tant ta façon est mesprisée
     Que ta trousse est devalisée,
     Pour avoir fait estrangement
     Un si soudain eschangement.

     Tu n'es celuy qu'on pensoit estre[22],
150   Celuy qui en naissant fist naistre,
     Et qui tira en corps divers
     Les semences de l'Univers :
     Arrachant la masse inconnue
     Comme du ventre d'une nue[23],
155   La tirant d'un fort tenebreux
     Comme d'un sepulchre poudreux.
     Celuy qui les desirs modestes
     Inspira de flammes celestes,
     R'accouplant les saintes moitiez
160   Du fort lien des amitiez[24].

     Mais las maintenant, quel eschange !
     N'as-tu plongé dedans la fange
     D'une paillarde volupté
     Nostre muable volonté ?

165   On ne voit plus la chaste flame
     D'une Thisbé pour un Pyrame
     S'enferrer le sein d'un couteau[25] :
     Ny d'un mal-enfilé cordeau
     Phyllis la Rodopeïenne,
170   Non d'autre main que de la sienne,
     S'estrangler pour un Demophon[26].
     On ne voit plus une Saphon
     Pour son Phaon precipitée[27] :   [97]
     Ny sur la marine irritée
175   Au boüillant des flots outrageux,
     Noüer un Leandre amoureux[28] :

Brusler Didon pour un Enée[29],
Une Ariadne forcenée
Au vent espandre ses douleurs,
180   Ny dessus l'arene ses pleurs[30] :
Echo n'est plus par les montagnes,
Dedans les bois, par les campagnes
Beante apres ce jouvenceau
Narcisse, attiré de son beau[31] :
185   Bref tous ces actes memorables,
Ces faits, et ces amours louables,
Amour, ne sortent plus de toy
Ny de la douceur de ta loy.
Aussi les tout-divins Poëtes
190   Des Dieux fidelles interpretes[32],
Mesprisans ta divinité,
Ta puissance et ta dignité,
Onc en leurs vers ne te donnerent
Un seul present, ne te sacrerent,
195   Pour te rendre à tous immortel,
Ny d'un temple, ny d'un autel :
L'un à Rhode et l'autre à Candie[33],
Cyllene, Epidaure, Arcadie :
L'un le chesne Dodonien[34],
200   L'autre le recoy Cy<n>thien,
Delphes, Athenes et Tenare,
Larisse, Deles et Patare,
Bois, fleuves, fontaines, ruisseaux,
Antres, rochers, fleurs, arbrisseaux :   [97v]
205   Mais toy tu ne fus en ta vie
Onc heritier que de l'envie
De deux traits à la pointe d'or[35],
Et citoyen d'un nid[36], encor
Emprunté des biens de ta mere,
210   De Gnide, Cypre et de Cythere[37].

Or maintenant ton bras archer
Pourroit mille traits décocher
Contre le roch de ma poitrine,
Ma poitrine diamantine,
215   Avant qu'elle se puisse entailler
N'en quelque sorte s'escailler[38].

<XVII -2>

ODE.

A Monsieur GARNIER.

GARNIER, qui d'une voix hardie   (= Tome V, <I -2>).

<XVII -3>

A M. Palingene,   [98v]
sur la traduction de Scevole de Saincte-Marthe.

(= Tome III, p. 139).

<XVII -4>

Chant d'allaigresse sur la naissance de Fran. de Gonzague, fils
de Mgr. de Nevers.   (= Tome V, <XIV>).

<XVII -5>

Au sieur Salomon[1].

Ainsi qu'au poinct du jour la Pucelle éveillée[2],
Seulette en son jardin va cueillant de sa main
Les plus gentilles fleurs pour honorer son sein
4   Et faire un beau tortis à sa tresse annelée.

Ainsi qu'au renouveau on voit la troupe ællée[3]
Des fillettes du ciel[4] dessous un air serain

Voler de fleur en fleur pour paistre leur essain,
8   Et pour confire en miel leur charge non foulée :

Ainsi tu vas triant au jardin des neuf Sœurs
D'industrieuse main, les mieux fleurantes fleurs
Pour te ceindre le front d'une couronne torte

12   En cent lauriers sacrez, et pour nous faire voir
Par cent doctes sujets l'effet de ton sçavoir,
Aussi docte et parfait que ton beau nom[5] le porte.

\<XVII -6\>

TRADUCTION.

Effusa latè mella dum fragrantibus[1]   [100]
Exugo labris, ore sicco et languido,
Excipio lætus exulémque spiritum,
Repentè summus Imperator cælitum
5   *Factús, Deorum inter superbus agmina*
Cælesté nectar poculo ebibo pari :
Exulceratrix[2] *sed ubi deus ferociter*
Linguam momordit immerentem, largiter
Fuso cruore per genas, actutum ego
10   *Hominum qui amant fio omnium miserrimus :*
Sic vivo felix, mox miser versa vice.

\<XVII -7\>

Ad P. Ronsardum de fonte D. Theobaldi[1].

Hæc tua quæ strepitat tremulis argentea rivis,
   Et quæ de vivo cespite lympha micat,
Non illa est pridem qua tu Theobalde solebas
   Quæsitam nimio sole levare sitim :
5   *Febre laborantes non est quæ pota juvaret*
   Artubus, et medicæ quæ daret artis opem.

Nam periit, veterésque petens fugitiva meatus
   Arentem averso tramite liquit humum.
Hæc nova Parnassi currit de vertice montis,
10   *Hanc sequitur properè Pieridúmque chorus[2],*
Migrarunt Nymphæ, simul et migravit Apollo.
   Et jacet obscurus nunc sine fonte locus.
Nimirum pulchrè venturi præscia vatis,
   Unda sepulchralem quæ fluit ante domum.
15   *Ergo Ronsardum si bruta elementa sequantur,*
   Nónne putas Orphei facta habitura fidem ?

<XVIII>
<DIALOGUE et EPITAPHES>[1]

<XVIII -1>
DIALOGUE[2].   [100v]

LE PASSANT.

Où est[3] ton arc Amour, ta fleche, ton flambeau,
Et les replis dorez de ton pennache beau ?
Pourquoy roule en tes mains une triple couronne,
Et la quatrieme encor ton beau chef environne ?

AMOUR

5   Passant, je ne suis nay de la folle Cypris,
Ny du fangeux Plaisir le neveu point ne suis,
J'allume à la vertu les ames plus modestes[4]
Pour les guider au ciel dans les troupes celestes.
Car les quatre Vertus[5] quatre couronnes sont,
10   Mais Prudence[6] premiere a choisi mon beau front.

<XVIII -2>

IMPRECATIONS

SUR LA MORT DU SEIGNEUR LOYS DU GAZ[1],

prises du latin de M. de PP[2].

    L'Autheur donc de ta mort, du Gaz, est inconnu,
Et jusques à present sous silence tenu
L'audacieus forfait, et n'est lieu qui paresse
Où se puisse atacher mon ire vangeresse :
5   Nemesis[3] le sçait bien, et le sçait bien ce Dieu
Ce devin Apollon, qui a l'œil en tout lieu :
Mars le sçait bien[4] aussi, et de larmes communes
De leur cher nourriçon pleurent les infortunes,
Et de commun accord ensemble ont arresté   [101]
10   De cest acte mechant vanger la cruauté.

    Mais ô Dieux ! je vous pry ne souillez vos sagettes
De sang si corrompu, ny d'ombres tant infettes,
Mais que le crimineux, l'assassin et l'autheur
Vive eternellement sans sentir la faveur
15   De la mort, quant et soy qui tout malheur entraine[5].

    Quiconque soit celuy, qui survive à la peine
De ce meurdre cruel, qu'il m'ait pour ennemy,
Aise de son malheur, et mourant à demy
D'un œil cave et transi languissant recognoisse
20   Un autre Gaz en moy qui vaincueur apparoisse
Sauf et sain de retour, ne souffrant mal sinon
Et vivant, et voyant, des filles d'Acheron[6].
Roule vif garrotté sur les æltes bruyantes
Du roüet d'Ixion[7], sous les cymes pendantes
25   D'un rocher esbranlé soit tousjours en frayeur,
Bruslé, tari de soif, et pasmé de chaleur,
En l'eau jusqu'au menton, d'entrailles renaissantes.
Paisse des fiers oyseaux les bouches ravissantes[8].

Et si quelque sentir aux Ombres de là bas
30   Reste après un tardif et paresseux trespas,
Soit de mesmes bourreaux, et de mesmes martyres
Tourmenté ce meurdrier ou d'autres qui soyent pires,
A fin de soulager les coupables damnez
De supplices plus doux se voyant condamnez.
35   Des Eumenides sœurs la garde plus cruelle[9]
Sur le sueil de son huis face la sentinelle,
Et les soucis mordans[10], le remors et la peur
Couchent dedans son lict pour le mettre en fureur.

Sus doncques Tisiphon[11], industrieuse appelle
40   Tes sœurs pour inventer quelque peine nouvelle,   [101v]
Tire Mezention du profond des Enfers
Et Perille artizans de supplices divers[12] :
Fay bruire sur sa peau une large courroye
Tant que le sang meurdry de tous costez ondoye
45   Coups sur coups redoublez, fouettant, hachant, brulant,
Le dos de ce meurdrier de toutes parts sanglant,
Travaillé de prison, et de torches ardantes
De coups, de pois[13], de gesne, et de lames bruslantes :
Ou dans un sac de cuir estroitement enclos,
50   Le Singe et la Vipere alterant son repos[14]
Le tourmentent sans fin, pour avoir eu l'audace
De priver la patrie et d'honneur et de grace.

Au lieu le plus secret qui soit en ma maison,
Du Gaz, je veux avoir ton image et ton nom
55   Entier et d'or massif, aux autres soit d'eslire
Te faire, si leur plaist, de bronze ou de porfire,
A fin qu'en épanchant de ce sang ennemy,
Invoquant ta faveur, ton nom et ton amy,
Sur les autels jumeaux le Devin et l'Auspice[15]
60   Te puisse heureusement offrir son sacrifice.

Je te salue, ô Gas, et devôt en ce lieu,
J'honore ta vertu d'un eternel adieu :
Et si des champs heureux y a quelque esperance
Aux Ombres de retour, vien voir la doleance,
65   Le regret memorable, et les pleurs de ton Roy[16],
Assiste à ma priere, et aux vœux que pour toy
Je dresse en ton obseque, à fin que ton saint Ombre
S'en retourne appaysé dans le Royaume sombre.

Heureux puis que la Parque a voulu retrancher
70   La trame à tes beaux jours, avant que trebucher
Tu veisses ta Patrie, helas qui ne pend ores   [102]
Que d'un petit filet[17] et tout pourry encores !

Heureux puis que ton corps par le mesme troupeau
Des Muses[18] fut porté jusques dans le tombeau,
75   Ton corps outré, navré en[19] cent façons cruelles,
Indignement forcé de cent playes mortelles,
Massacré dans le lict d'une[20] assassine main
Sous le faux tradiment d'un meurdrier inhumain.
Playes, dont pour jamais immortelles les rendre,
80   Les Muses au poinçon dessus l'escorce tendre
Les verds Lauriers de Pinde[21], en signe de douleur,
Dépites ont gravé[22] le nombre et la grandeur,
A fin qu'en les voyant croisse la souvenance
Que tu n'as le renom d'estre mort sans vengeance.
85   Mais trois fois plus heureux qui as eu la faveur
D'avoir les yeux fermez, pour le dernier honneur,
Des blanchissantes mains de Maistre et de Maistresse[23],
Yeux pressez de sommeil, noüans en l'ombre épaisse
De l'eternelle nuict, et trois fois plus heureux
90   Que ma Muse sacrée a dessillé tes yeux
Par ces vers, truchemens de mon humble priere
Pour les faire joüir de la douce lumiere.

DIRÆ AD GAII MANES.

PP.

Ergo tuæ cædis, Gai, est incognitus auctor,
Et crudi pressa est etiam num audacia facti,
Nec mea habet quò se ira ultrix immittere possit,
Scit Nemesis, scit et omne videns deus augur Apollo, [102v]
5 Scit Mavors, et uterque suum nunc luget alumnum,
Et sceleri intentant communi fœdere letum,
Sed tela impuro, Dii, ne fœdate cruore,
Conscius at vivat longùm, percussor, et auctor,
Quisque novæ superans pœnæ, scelerisque lüelæ
10 Me sibi semineci insultantem cernat, et in me,
Victorem, et reducem, moribundo lumine, Gaium.
Viventem impediatque Acherusia vita videntem,
Versetur vivax Ixionis orbe, cadenti
Suppositus saxo, in mediis miser areat undis,
15 Pascat aves semper redivivo viscere diras,
Atque illum, si quis post funera sera superstes
Sensus erit, repetita eadem tormenta sequantur,
Donec pœna minor sontes solabitur umbras :
Eumenidum insomnis servet custodia limen
20 Illius, et lecto curæ stabulentur eodem,
Tisiphone vocet in pœnæ commenta sorores
Ingeniosa suas, veterésque Perillon ad artes
Excitet, ádque novas medio Mezention Orco,
Sanguineo increpitet quatiens, torrensque flagello,
25 Carcere, verbere, tædis, pice, lamina, et anguis
Angat eum, et corio conclusus simius uno,
Effœtam reliquo patriam ausum orbare decore.
Gai, adytis tamen in nostris tu stabis in auro
Totus, (marmoreum faciet te cœtera turba)
30 Sanguine ut hostili geminas tibi liber ad aras,

Sacra secunda, litans, et amicis nunciet auspex.
Æternùm salve atque vale, mihi maxime Gai,
Siquis ab Elysio magnis datur exitium umbris,
HENRICI intersis lacrymis, memorique querelæ [103]
35 *Inferiisque meis precibus, votisque supremis,*
Ut placata tui Diti reddatur imago :
Fœlix quod secuere prius tua stamina Parcæ,
Quàm putri caderet dependens patria filo
Quod non conductæ flerunt tua funera Musæ,
40 *Et corpus subiere rogo, quod mille petitum*
Perfossumque locis, Pindææ et cortice Daphnes
Vulnera tot numero et modulo inscripsere dolori,
Indignè antè tuum accepit quot hiulca cadaver,
Hoc ideo, ne tu famam patereris inulti,
45 *Ter fœlix extrema oculos in nocte natantes*
Quòd domini clausere manus, dominæque, resignat
Et quòd eos revocans mea Musa in luminis oras.

<XVIII -3>
EPITAPHE D'ANNE DE MONTMORENCY,
CONNESTABLE DE FRANCE.
du Latin de M. de Pimpont[1].

Cesse, Spartain vieillard[2], cesse de plus vanter
Le discours de ta vie, et cesse de chanter
D'une tremblante voix ces vers hautains et graves,
(Reproche vergongneux[3]) : Nous avons esté braves,
5 Jeunes, vaillans et forts : Mais vous gentils François,
Favorisez de cœur, et de langue, et de vois
Ce grand Montmorency, qui près de sa mort ores
Se vante avoir esté, et n'estre moins encores, [103v]
Brave et vaillant guerrier, or que le ply du temps
10 Et sa viste carriere eust ja borné ses ans.

Car la France tombant[4] en civiles allarmes,
Et prenant de rechef secretement les armes,
Sage, prompt et hardy, fist rampart de son corps
Aux bataillons crestez, et soustint les efforts
15   De l'orage voisin, sacrifiant sa vie
Dessus l'autel sacré de sa douce patrie,
Détournant, renversant, repoussant, empeschant,
Du mur Parisien[5] la tempeste approchant.

Mais Mars trouvant à poinct sous la teste sacrée
20   De ce grand Chevalier la face desarmée,
Le poil blanc et chenu, attaque front et flanc,
Et d'un coup redoublé les souille de son sang,
Meslant playe sur playe, aux flancs, devant, derriere,
Et de lame meurdriere il ravit la lumiere
25   De ce grand Conestable, à fin qu'il ne peust pas
Composant, ou restant vaincueur maistre du pas
Fermer du Dieu de paix le temple[6], et pitoyable
Mettre fin aux malheurs de ce temps larmoyable,
Si que la majesté de ce Dieu des combas
30   Et l'acier enroüillé ne languist icy bas.

Mais Pallas amoureuse et d'honneur et de gloire
Le charge sur sa targue[7], où comblé de victoire
Morne et transi de coups, le porte glorieux
A son Roy, et aux siens, mesme victorieux
35   De l'Envie, qui brusle ainsi qu'un coup de foudre
La cyme des rochers et les reduit en poudre,
Ferme au Pere les yeux devant ses enfans chers,
Couronne le cercueil de branches d'Oliviers,
Et de Lauriers sacrez aux victoires celebres,   [104]
40   Pour Hache verdoyante et pour Cyprés funebres :
L'appelle par trois fois, le dit pour ses beaux faits
Digne de commander et en guerre et en paix.

Passant, n'offense pas ceste ame genereuse,
Ains espargne les pleurs, et de l'ombre poudreuse
45   De ce tombeau sacré de Lauriers revestu
Appren d'estre vaillant et suivre la vertu.
Anne, vy donc heureux, puis que la part meilleure
Reste encores de toy survivante à ceste heure :
Anne, vy donc heureux, qui ne fus languissant
50   Ny de bras engourdis les vertus embrassant :
Anne, vy donc heureux, et d'esprit indontable,
D'alaigresse, d'honneur, et grace inimitable,
As vescu jeune et vieil d'âge en âge suyvant,
Dés ta naissance heureux et vivant et mourant,
55   Puis que les faits premiers de ta jeunesse tendre
Respondent aux derniers, et qu'il ne faut attendre
Rien d'heureux icy bas, ny durable, ny fort,
Que la seule Vertu qui reste après la mort.

ANNÆ MOMMORANCII

equitum in Gallia magistri tumulus.

Solve senex Spartane choros, modulúmque pudendum,
Nos fortes fuimus, jam desine voce præire,
Vos animis Galli, unanimes linguisque favete,
Si melius sub fata. canit fortémque fuisse,
5   *Nec minus essse ævi flexu spatioque supremo*
Applausu patriæ se Mommorancius heros.
Fraternis nam Celta odiis in bella ruente,   [104v]
Rursum, dum intrepidè patriis se devovet aris,
Implicitáque acie belli dum corpore nubem
10   *Sustinet, avertens urbanis arcibus æstum*
Instantem, arrepto sævus tum tempore Mavors
Canitiem sacram vultus sortitus inermes,
Hic illic vario, et repetito polluit ictu,
In fronte et tergo conturbans ictibus ictus

15   *Adversos versis, letali protinus hausit*
      Ingentem ingenti et mulcavit vulnere, templum
      Claudere ne Jani pactus, campóve potitus,
      Et finem posset lacrymoso imponere bello,
      Armorum, et langueret opus, numénque jaceret :
20   *Ast illum scuto impositum regíque, suísque,*
      Seminecem laceratum ora, invidiæque reportat
      Victorem, qua summa, ut fulmine, quæque vaporant,
      Pallas, et ipsa oculos natorum ante ora parenti
      Clausit, próque apio, pro feralíque cupressu
25   *Pacifica circumvolvit pia funera oliva,*
      Et lauro victrice, virum et ter voce vocavit
      Egregium pace et bello gavisa dolore.

      Tu manes tantos ne læde, at parce viator
      Fletibus, atque ex hoc virtutem disce sepulchro,
30   *Anna, parte sui salve meliore superstes,*
      Macte nec effœtis ad fortia viribus, atque
      Robore macte animi indomito, viridíque senecta,
      Macte vir atque senex, ætatis et ordine toto,
      Principiis tanto respondet si ultimus actus
35   *Concentu, et felix demum post funera virtus.*

            Patriæ Patri parentabat gratus, G. V. G. PP.

                              <XVIII -4>

      EPITAPHE DE MONSEIGNEUR LE DUC DE GUYSE[1]. [105]

            Ce grand Prince guerrier[2], ce grand chef des armées,
      Tel que les siecles vieux, ny le ply des années
      Des siecles advenir ne peurent oncques voir,
      Ny ne verront encor qui l'egale en pouvoir
5   De force ou de vertu, de vaillance ou de gloire,
      Pour graver de son nom l'immortelle victoire.
      Ce grand Prince guerrier, plus qu'autre homme vaillant,
      Fust à garder un fort, ou fust en l'assaillant,

A conduire une armée, ou ranger sous l'enseigne,
10   Ou bien d'escarmoucher le soldat en campaigne.

    Ce grand Prince guerrier, qui d'un bras genereux
Rendoit nostre François brave et victorieux,
L'ayant fait assez fort, pour de ses mains hardies
Mettre dessous le pié les forces ennemies.
15   Ce grand Prince guerrier qui laissoit pour jamais
Si plus il eust vescu en ce monde la paix[3],

    Ce grand Prince guerrier, ce Prince des batailles,
Ha Dieux ! avant le temps sous les fortes murailles
D'Orleans, mutiné[4], non de force de bras,
20   Ou de lance ou d'espieu, ou trebuchant à bas
D'un cheval, terrassé, mais par la main meurdriere
D'un plom empoisonné eut un coup par derriere,
Qui luy perce l'espaule[5] et luy froisse les os,
Dont mourut ce grand Prince, et mis en doux repos,
25   Ne pouvant pas mourir par force ou par vaillance
Du soldat ennemy, ny du fer de la lance
Du Chevalier armé, or' qu'il fust le premier   [105v]
Pour aller au combat, et jamais le dernier :
Ou soit qu'il combatist en muraille assiegée
30   Main à main, à cheval, en bataille rangée[6].
Car la vertu guerriere, et le sang et le nom
Empeschoyent qu'il mourust autrement qu'en traison.

    Ainsi le grand Achil, la gloire Pelienne[7],
Ayant esté plongé dedans l'eau Stygienne,
35   Ne pouvoit pas mourir s'il n'eust esté navré
De Paris le Troyen par la plante du pié.

    Ainsi de ces deux chefs les vertus avancées,
Par fraude et par traison ont esté renversées :
Ainsi ce grand Achil seur rempart des Gregeois
40   Sans qui du fier Destin[8] les indomtables lois

Ne pouvoyent pas souffrir que Priam ny que Troye
Fussent de l'estranger ny des Gregeois la proye[9].

    Ainsi ce Chevalier colomne des François,
Le secours de l'Empire et l'appuy de nos Rois,
45   Sans qui nous n'esperions que la ville rebelle,
Ny son peuple mutin, ny sa vaine querelle
Se peust rompre ou gaigner au milieu des combas
De ceste guerre sainte, a franchi le trespas.
Mais la Grece en la mort de son vaillant Achile
50   Ne trouva sa ruine, ains luy fut tres-utile,
Car redoublant sa force emprist sous le danger
Par le sang de beaucoup, d'un seul l'ame vanger.

    Mais las rien ne t'esmeut, ô France malheureuse !
Ny la mort de ce Prince en qui vivois heureuse,
55   Ny luy ny son secours, sous lequel tu pouvois
Seurement soustenir le sceptre des François :
Ne pouvant concevoir tant de justes complaintes,
Ayant de ton sang mesme encores les mains teintes,   [106]
Sans craindre que les grands tombent dessous la main
60   D'un meurtrier assasin par un mesme dessain,
Pour ranger aussi tost tout le peuple fidelle,
Esclave sous le joug d'une loy trop cruelle.

<XVIII -5>

EPITAPHE DU BARON DE SANTONAY.

    Pendant que la jeunesse animoit aux alarmes
Et mon bras et mon sang alteré de l'honneur,
Desja je batissois de la Parque vaincueur,
Entre les ennemis mon tombeau dans mes armes :

5   Mais Mars en fut jaloux, et m'ostant le harnois
Me rend en ma maison, où finissant ma vie
J'ay vescu tant heureux, que je ne porte envie
Ny vivant ny mourant à l'heur mesme des Rois.

Or la mort m'a vaincu, non la peur ny la guerre,
10   Et pour mettre à jamais en plus heureux repos
    Et en gloire plus grande et mon ame et mes os,
    Laissé l'un dans le ciel, l'autre[1] dedans la terre.

Ainsi doncques suyvant l'ordonnance du sort
    Des trois fatales Sœurs, je donne à la memoire
15   La gloire, le bonheur, le nom et la victoire,
    De guerre, de repos, de vaillance et de mort[2].

<XVIII -6>

L'OMBRE DU SIEUR DE SILLAC AUX SOLDATS FRANÇOIS.[106v]

Soldats, le seur appuy et la force choisie, (= t. III, XIII, p. 140).

<XIX>

<POEMES>

<XIX -1>

CONTRE L'AMOUR.

Il me desplaist[1] d'avoir jamais tenté
    De louanger ta puissance cruelle,
    Cruel[2] Amour, l'asseurant immortelle
4   Et que du ciel venoit ta parenté[3].

Il m'en desplaist, car ce n'est qu'une erreur
    Qui glisse en nous : et comme par le songe
    Naist un plaisir qui s'escoule en mensonge,
8   Ainsi nous paist et trouble ta fureur.

Tu n'es point Dieu, et n'a rien sous les cieux
    Suget à toy, ny dessous la puissance   [107]
    De ta main forte, ores qu'à l'inconstance
12 . De tes effets se captivent nos yeux.

Si tu restois avant que ce potier,
    Potier[4] gentil à la main imagere,

Eust destrampé l'audace mensongere
16   De son larcin pour former l'homme entier.

Si tu restois avant qu'en divers corps
Esparse fust la semence embrouillée
De ce chaos, ta sagette enrouillée,
20   Ton arc, ta trousse où estoyent-ils alors ?

Lequel des Dieux empenna de fureur
Ton dard meurtrier à la pointe dorée,
De quelle main fut la mieux enferrée,
24   Et quelle trampe emplomba sa vigueur ?

Cela n'est rien, car le charme inhumain
Qui nous enchante, et la force indomtable
Que dis avoir sur la nature aimable,
28   Ne vient de toy ny de ta fiere main :

Il vient de nous, mais las ! pour voiler mieux
De nostre mal[5] la trop folle entreprise,
Nous voulons bien que ce Dieu favorise
32   Nostre malheur d'un tiltre glorieux.

O ciel, et vous saintes divinitez
Qui retenez la cognoissance entiere,
Comme moteurs de la cause premiere,
36   De l'amitié et toutes loyautez :

Je vous supply ne permettez jamais
Que ma nef tombe en si cruel orage[6],
Et je rendray le service et l'hommage
40   Que je vous doy de bon cœur desormais.

<XIX -2>

PRIERE A DIEU.   [107v]

Sus sus mon ame, avant gaignons le port[1],
Nous sommes forts, car Dieu est nostre fort[2],

Bien asseurez, car c'est nostre asseurance,
Bien defendus, car c'est nostre defense,
5   Les membres siens, et luy est nostre chef[3]
Qui nous retire et sauve de mechef,
Les enfans siens, et luy est nostre pere[4].

    Sus donc, mon ame, avant qu'on le revere,
Et qu'en luy seul on fonde son espoir[5],
10   Et qu'à luy seul[6] on rende le devoir,
Soit du genoil, de l'œil ou de la teste
Qu'à le servir humblement on s'appreste,
Car à luy seul nous sommes serviteurs[7],
Et à luy seul nous devons tous honneurs,
15   C'est le seigneur qui de là haut regarde[8]
De[9] cent flambeaux qu'il retient pour sa garde,
Et qui le Ciel appelle pour tesmoin
De nos pechez qu'il regarde de loin :
Il a des yeux et ne peut nostre offense
20   Estre cachée à sa grand'providence[10].
Sers-le donc seul, puis selon tes dessains
Il benira l'ouvrage de tes mains[11].
Il benira toy, les tiens et ta race[12],
Et largement le thresor de sa grace
25   Il espandra sur la teste de ceux
Qui leur espoir cachent dedans les cieux[13] :
Sur tous ceux-là qui sa grandeur admirent,
Dessus ceux-là qui de bon cœur aspirent
Devers le Ciel gardant ses saintes loix[14]
30   En savourant le doux miel de sa voix[15].
Car elle est douce et vivement emprainte
Dedans nos cœurs, ceste parolle sainte   [108]
Feroit trembler le plus seur element[16],
Ayant sur tous force et commandement :
35   Elle a pouvoir d'abaisser les montagnes

Et de haulser les plus humbles campagnes,
Voire amollir les costes des rochers,
Ouy[17] d'asseurer les timides Nochers,
Pendus au dos des vagues de Neptune,
40   Et de forcer les forces de Fortune[18],
Ouy de pouvoir et fendre et renfermer
Ente deux monts les grands flots de la mer[19],
Et d'appaiser les ardantes coleres
Et les arrests des celestes lumieres[20] :
45   Bref elle peut boulverser à l'envers
Les fondemens de ce grand Univers.

Donc cil qui l'a au cœur et dans la bouche[21],
Craindre ne doit que le malheur le touche,
Craindre ne doit les couteaux ny les feux[22] :
50   Car il fait cheoir poil à poil nos cheveux[23].

Lors cognoistront tous les peuples estranges[24]
Que tu auras espandu tes louanges
Le bras armé, la gloire et la grandeur
Sous la justice et le nom du Seigneur,
55   Lors[25] tu verras la celeste rosée
Tousjours rouler sur la terre arrosée
D'un beau Printemps riche de cent couleurs
Et parfumé d'une moisson d'odeurs :
Il haulsera les cornes de ta gloire[26]
60   En tous endroits en te donnant victoire
Sur tous ceux-là qui seront ennemis
De toy, des tiens, et de tes chers amis.
Loüé de tous, ny mal-voulu d'aucun
Tu marcheras[27] brave devant chacun,   [108v]
65   Soit au sortir, soit à ton arrivée,
Le sourci haut et la teste levée,
Multipliant nuict et jour à foison
Tes biens aux champs, et dedans ta maison

    Tes boucs, tes bœufs, tes brebis camusettes,
70   Tes grains, tes fruits, ton miel et tes avettes,
    Armant tes champs de beaux épics grenus
    Et non d'ivraye ou de chardons menus,
    Il changera[28] toute ton indigence
    En heur, en biens, et ruisseaux d'abondance.

75   Allant courant il benira tes pas[29],
    Il benira ton repos, ton repas,
    De jour, de nuict, et de main mesnagere
    Il fermera sur le soir ta paupiere[30],
    La défermant quand du marin sejour
80   Le beau Soleil aura tiré le jour :
    Il aura soin de ton petit mesnage,
    De tes enfans, de toy, de ton ouvrage.

    Doncques, Seigneur, monstre nous le sentier[31],
    Fay nous la voye et marche le premier,
85   Sans toy, Seigneur, nous perdons esperance
    De nous trouver sur le port d'asseurance :
    Sois donc, Seigneur, la colomne de feu,
    Qui conduisoit de nuict le peuple Hebreu :
    Sois nous, Seigneur, la colomne chenue,
90   Qui les guidoit sous l'espais de la nuë[32],
    Durant le jour, à fin que tes enfans
    Puissent entrer, du malin trionfans,
    Au beau sejour de la terre promise
    A Israël la force de Moyse[33].

SONNETS.
<XIX -3>
Au Roy, sur un Crucefix peint dans ses heures[1]
sortant d'un sepulchre.   [109]

    Mieux je ne puis remarquer la memoire[2]
    De vostre nom et vostre bras vaincueur[3],

Que par le sang et le bras du Seigneur
Qui de l'Enfer emporta la victoire :

5   Mieux je ne puis au monde faire croire
Vos faits guerriers, que par l'ayde et faveur
De ce grand Dieu qui va cachant nostre heur
En ce tombeau seur tesmoin de sa gloire.
      Pour son saint nom vous aurez combatu[4],
10   Par luy aussi vous avez abbatu
L'orgueil felon d'une troupe ennemie.

      Que pourroit-il en terre faire mieux ?
Dedans sa playe il vous garde les cieux,
Et par sa mort une eternelle vie.

<XIX -4>

      Si l'Amour que tu[1] dois au lieu de ta naissance
Te touche jusqu'au cœur, ou si quelque devoir
De parens ou d'amis reste pour t'esmouvoir,
Jette l'œil je te pry dessus la pauvre France :

5   Tu n'es Turc ny barbare, et sçay qu'as cognoissance
De la grandeur de Dieu, je sçay que ton vouloir
En tout est juste et saint[2], mais si nous fais-tu voir
Un peuple moins instruit qu'au fort de l'ignorance[3].

      Au lieu de savourer les douceurs de ta bouche,
10   Il s'altere d'aigreur, qui l'a rendu farouche,
Au lieu d'estre modeste il se met en rigueur.

      Pour se mettre en repos il met en main les armes,
Cherchant (mal-avisé) par ouvertes allarmes
Contre son propre sang exercer sa fureur.

<XIX -5>   [109v]

      Qui ne diroit, ô Dieu ! voyant la pauvre France,
La France ensorcelée et surprise d'erreur,

De guerre, de famine, et de peste et de peur,
Que tu as desployé sur elle ta vengeance[1] ?

5   Mais tu n'es point vangeur, ains la seure defense,
Le secours et l'appuy, et le rempart plus seur[2]
Des pauvres affligez, mais las tout ce malheur
Ne peut naistre d'ailleurs sinon de nostre offense.

Contente toy[3], Seigneur, et que ta main divine
10   Dessous le ciel François nous monstre quelque sine,
Que tu as comme pere addouci ton courroux.

Nous sommes tes enfans, et tu es nostre pere :
Doncques à celle fin que ta race prospere,
Regarde nous, Seigneur, de ton œil le plus doux.

<XIX -6>

S'il faut, comme tu dis[1], que le scandale advienne
En ce trouble mutin, ô siecle malheureux,
Et malheureux celuy qui en est desireux,
Et qui pour l'en aigrir donne la faveur sienne.

5   Mais s'il faut qu'ainsi soit, O Seigneur, te souvienne
De ton troupeau petit, et ne sois rigoureux,
Tu n'aimes pas le sang, tu es trop amoureux
De l'œuvre de tes mains, et de la race tienne[2].

Nous faisons le scandale, et si rendons sugettes
10   A nostre passion, nos volontez profettes
De ce que desirons, bref le mal vient de nous,

Et pourrions aisément destourner la contrainte
Du scandale advenir, mais aussi j'ay grand'crainte
Que ce qui en naistra, ne soit commun à tous.

FIN.

LA / RECONNUE / COMEDIE / PAR / REMY BELLEAU.   [110]

<*Cette pièce dramatique n'est pas comprise dans notre édition des *Œuvres poétiques* de Belleau. Elle a été publiée par Jean Braybrook aux Editions Droz à Genève en 1989>.

NOTES

LES AMOURS ET NOUVEAUX ESCHANGES DES PIERRES PRECIEUSES

PAGE 25

1   Il s'agit d'une traduction de « In Lib. Remigii Bellæi De Gemmis G. Valens Guellius PP », qui se trouve vers le début de l'édition de 1576.

PAGE 26

1   Ce poème a été traduit par Mme Geneviève Demerson, que je tiens à remercier :

Sur un portrait de R. Belleau

Une main de statuaire ne peut rendre immortel l'homme mortel dont elle façonne l'image. Que l'art du peintre n'aille pas en faire un dieu ! On n'a pas d'images des rois antiques, il ne subsiste pas de statues des héros primordiaux. Le temps a anéanti le Colosse de Rhodes et il a fait disparaître les sept Merveilles du monde. Les œuvres de la seule Vertu, définitivement empreintes dans les livres qui se pérennisent, subsistent égales à elles-mêmes. Tout le reste est poussière sans consistance. Ici Belleau, tout en or, est assuré de demeurer égal à lui-même, habité par les Charites à la voix aussi douce que le miel.

N. Goulu

2   Les trois Grâces appartenaient, avec les Muses, à la suite d'Apollon.

3   L'auteur de ce poème, Nicolas Goulu (1530- c. 1601), enseigna le grec au Collège Royal à partir de 1567, à la suite d'un examen passé devant un jury dont Belleau fit partie. En 1568, Goulu épousa Madeleine, fille de Dorat.

1   Mme Geneviève Demerson a eu la gentillesse de traduire ce poème :

Sur les poèmes de REM. BELLEAU

La Muse de France pleurait la perte de Marot, de Saint-Gelais et de tous ceux qu'a portés naguère une époque meilleure : Du Bellay qui, aux rythmes de ses pères, mêlait ses poèmes latins, et La Péruse au souffle puissant, et Jodelle persuadé d'avoir le souffle plus puissant que ses pairs ; mais elle vient de rompre, dit-on, son silence par la plainte que voici :

> *Est-ce bien toi, toi qui de notre troupe es encore un compagnon, qui en es la gloire reconnue, est-ce toi encore qui gis à terre ? Ton esprit qui n'accueillait pas le vice honteux, ton amour qui accueillait de tout cœur les vertus, ne t'ont donc pas exempté, ni toi ni tes jours, de la loi des Parques ?*

Tu peux bien venir maintenant te promettre un durable salut, des demeures éternelles et un destin qui ne soit pas inéluctable, toi, le premier venu tiré de la fange et de la lie d'un misérable peuple ignare ! quand il est évident que les poètes inspirés, troupe consacrée aux saintes Camènes, n'évitent pas l'iniquité, les misères, les maladies et la mort.

Elle parla ainsi, et, se déchirant les joues, s'arrachant les cheveux, elle interpelle les divinités cruelles. Dans sa tristesse, en gémissant longuement, elle aurait erré comme aiguillonnée du délire que connaissent les Bacchantes si les dieux et les déesses – BELLEAU, bon mythographe, les connaissait tous et toutes – répondant à ses justes plaintes par des formules apaisantes, n'avaient cherché à calmer le désespoir de la Nymphe en pleurs.

La première, Cypris, s'approche, portant les témoignages de son serviteur et neveu : le poète inspiré les chantait quand, trahi par un feu mal dissimulé, il exprimait des amours qu'il dissimulait mal. Sur ses pas marche Pan, avec les Sylvains et les Satyres agrestes, ainsi que le Berger d'Amphryse. A tour de rôle ils redisent ce qu'il a un temps modulé sur sa flûte aux tuyaux inégaux. A eux s'adjoint Bacchus accompagné de Cupidon. La lyre téienne se réjouit de leur présence, elle qu'avait coutume de toucher BELLEAU lorsqu'il prodiguait ses propres fredons dans le chant de France. Bientôt aussi arrive Junon, et, étincelant du luxe royal des gemmes, elle étale les pierres précieuses que dans sa richesse enfante l'Inde. A sa suite vient la Sagesse, qui aime un Roi sage ; elle porte les écrits que le Français a transposés des Hymnes sacrés.

Ainsi ils s'avancent ensemble, dans la fidélité d'une amitié attentive. De tant de vers dispersés, ils ont empli un volume : tandis qu'ils se préparent à apporter leur secours au poète défunt (en effet, de quoi la haute puissance des dieux n'est-elle pas capable ?), ils enlèvent son esprit au ciel, arrachent dans le deuil son cadavre à la terre, compensant sa mort par un double cadeau : ainsi, comme BELLEAU survit tout entier grâce à son art, le corps de BELLEAU vit dans un corps de livres.

Jean de La Gessée

    2   Mellin de Saint-Gelais (1491-1558) est l'auteur de poésies de cour. Ses démêlés puis sa réconciliation avec le jeune Ronsard sont célèbres. Avec Clément Marot (1496-1544), il symbolise ici la génération antérieure à la Pléiade ronsardienne, génération dont les nouveaux poètes ont reconnu les mérites.

    3   Joachim du Bellay, dont Belleau a déploré la mort, représente ici la nouvelle poésie humaniste, qui a illustré la langue française sans renier l'inspiration latine.

    4   Jean-Bastier de La Péruse (*c.* 1530-1555) joua avec Belleau en 1552, au collège Boncourt, la *Cléopâtre* de Jodelle. Ensuite, à Poitiers, il dut suivre des cours de droit. -Il mourut de la peste ; ses poésies furent recueillies et imprimées à Poitiers en 1556. Ronsard avait fait de lui en 1553 une des étoiles de la Pléiade.

    5   Etienne Jodelle (1532-1573) fut salué par Ronsard, pour sa tragédie *Cléopâtre captive*, comme le créateur du théâtre humaniste, et admis dans la Pléiade. Il fréquentait le *Salon Verd* de la Maréchale de Retz. La Gessée ne manque pas de malice à son égard.

    6   Les Parques, divinités du Destin, sont des fileuses qui disposent le fil de la vie de chaque être humain. En particulier, Atropos coupe le fil et détermine le moment de la mort.

PAGE 27

7   Les Camènes (de la racine *casmena*, « conter, chanter ») sont les Muses.

8   *Mimallon, -onis* = une Bacchante.

9   La déesse de Chypre est Vénus.

10 La Gessée désigne ainsi des poèmes d'amour tels que ceux qui se trouvent dans les *Petites Inventions*, comme « De la perte d'un baiser de sa maistresse », que nous reproduisons ci-après (XIV –1).

11 Dieux romains associés à la forêt et à la terre inculte.

12 L'Amphryse est une rivière de Thessalie, près de laquelle Apollon nourrissait les troupeaux d'Admète.

13 Allusion à *La Bergerie*.

14 Téos, ancienne ville d'Asie Mineure (Ionie), patrie d'Anacréon.

15 Allusion aux *Odes d'Anacreon Teien*.

16 Allusion aux *Amours et nouveaux eschanges des pierres precieuses*.

17 Allusion au *Discours de la vanité* et aux *Eclogues sacrées, prises du Cantique des Cantiques de Salomon*. La tradition insiste sur la sagesse de Salomon.

18 Sur Jean de la Gessée (1551-1596), poète gascon, secrétaire du duc d'Alençon, voir Ière Journée de *La Bergerie*, t. IV, pièce VI (*May*), note du v. 93.

PAGE 28

1   Allusion quelque peu obscure à la légende de Deucalion et de Pyrrha, déjà utilisée, dans l'édition de 1576, par l'abbé de Pimpont. Seuls Deucalion et Pyrrha échappent au déluge et leur bateau s'échoue sur le mont Parnasse, unique partie de la terre que les eaux n'aient pas recouverte. L'oracle de Thémis, pour sauver la race humaine, leur conseille de jeter des pierres derrière eux. Selon qu'elles sont lancées par Deucalion ou par Pyrrha, elles donnent naissance à des hommes ou à des femmes.

2   Les tercets semblent vouloir dire que, certaines femmes nées des pierres lancées par Pyrrha risquant d'être violées par les hommes, les dieux les transforment de nouveau, cette fois en pierres précieuses.

3   Sur Paschal Robin, sieur du Faux voir *Tumulus* de Belleau, t. V, pièce XIII, n. 42.

PAGE 29

1   Plus que le Discours précédent, ce Discours en vers met en relief le caractère religieux de la mission du poète (« saintement »). Cf. Ronsard, « Hymne de l'Autonne » (Lm XII, 46-47), à propos de son « Daimon » : *M'inspirant dedans l'ame un don de Poësie, / Que Dieu n'a concedé qu'à l'esprit agité / Des poignans aiguillons de sa divinité.*

PAGE 30

2   Le Discours en prose n'a consacré qu'une ligne à la façon dont le peuple était trompé par les prêtres.

3   Orphée, un des *prisci poetæ*.

4   Les listes des propriétés des gemmes, que certains ont critiquées pour leur prosaïsme (par ex. A. -M. Schmidt, *Poésie scientifique au XVIe s.,* Lausanne, Ed. Rencontre, 1970, p. 266), font partie intégrante du texte ; ce sont de « rares vertus » qui remplissent le lecteur d'admiration pour la splendeur de la Création.

5   Le poème met en relief la sainteté des chercheurs ainsi que la nature occulte de certains aspects de leur savoir, tandis que le Discours en prose ne parle que d' « aucuns des Philosophes ».

PAGE 31

6   Le Discours en prose limite ce phénomène aux animaux.

PAGE 32

7   Seul ce Discours en vers humanise les Pierres à cet endroit du développement.

PAGE 33

8   Ce passage (v. 127-164) n'a pas d'équivalent dans le Discours en prose. L'origine de la belle image de la gorge multicolore d'une colombe (v. 135-138) se trouve chez Cardan (p. 282). Avec la comparaison concernant la mer (v. 145-147) et celle où figure du drap écarlate (v. 161-164), Belleau a développé un aspect important de sa poétique : la représentation de formes et de couleurs en train de changer.

PAGE 34

9   Cette évocation des « vices » fournit plus de détails sur la couleur des gemmes que la version en prose.

PAGE 35

10   Les vers 197 à 220 n'ont pas d'équivalent dans la version en prose. Belleau ajoute un résumé des transformations que les pierres peuvent subir, une attaque contre les faussaires, et une explication des formes qui sont les plus recherchées. Il suit surtout Cardan, qui sait observer et poser des questions pertinentes.

PAGE 36

11   Cette fois, la version en prose contient un élément de plus : les lignes finales justifient la « nouvelle invention » qu'est la description des gemmes. Il est probable que le succès de l'édition de 1576 a libéré l'auteur du besoin de s'expliquer.

1   Marbode donnait déjà en préface à son ouvrage sur les pierres un poème évoquant Prométhée et son anneau. Pline (XXXVII. 1. 2) et Servius (commentaire de la *VIe Eglogue*) rapportent des mythes, reposant sans doute sur une interprétation erronée des fers de Prométhée, selon laquelle le titan fut le premier à porter un anneau où était enchâssé un fragment de la roche du Caucase. Sur l'importance de Prométhée chez Belleau, voir Guy Demerson, « Remy Belleau et la naissance du monde » in *L a Naissance du monde et l'invention du poème* (Mélanges Yvonne Bellenger), éd. J. -C. Ternaux, Paris, Champion, 1998, p. 201-206.

2   Le début du poème s'inspire d'un passage du *Prométhée enchaîné* d'Eschyle ; Prométhée parle : *Divin éther, vitement ailes des vents, eaux des fleuves qui sourdent, houles marines à l'innombrable rire, Mère de tout, Terre – et l'œil – partout, le rond du soleil, je l'appelle, – Voyez-moi, quels maux me viennent des dieux, souffrances d'un dieu.* (trad. L. Bardollet et B. Deforge, Paris, Belles Lettres / Denoël, 1975, p. 226). Chez Belleau, seule la description de la mer indique que Prométhée va parler de sa souffrance.

PAGE 37

3   Téthys, femme de l'Océan est mère de Nérée et des Océanides.

4   Voir les vers 136 à 142 du *Prométhée enchaîné* (p. 229) ; Prométhée parle : *Ah ! ah ! tant de fois elle enfanta : De Téthys vous êtes nées ; Il entoure tout, Il roule autour des terres Sans se coucher, Son cours : Vous êtes les filles d'Océan, Votre père. Fixement regardez Et contemplez quels liens m'agrafent En cette gorge.*

5   Mercure est audacieux probablement parce que, en tant que messager de Zeus, il a annoncé à Prométhée la décision fatale. Dans le *Prométhée aux liens*, il menace Prométhée.

6   Le latin *lampas* peut signifier « astre, étoile ». C'est le sens du français ici.

7   Ici Belleau suit peut-être Servius : « Alii hunc ferula ignem de cælo subripuisse ferunt, et ideo a Jove religatum ad Caucasum, et volucri objectem, quem postea ab ipso Jove resolutum, quod eum monuisset a Tethide abstinere, quod de eius semine nasceretur, qui eum regno pelleret. » (*Commentarii in Virgilium*, éd. H. Albertus Lion, Göttingen, Vandenhoeck & Ruprecht, 1826, vol. II, p. 136.)

8   Thétis fille de Nérée et de Doris, épousa un simple mortel, Pélée, et fut la mère d'Achille. Mais auparavant, Zeus, qui la courtisait, fut averti par Prométhée qu'elle enfanterait un fils qui serait plus fort que son père. – Le nœud dramatique du *Prométhée aux liens* d'Eschyle réside dans le fait que Prométhée connaît ce secret : il déclare que Zeus éprouvera de l'amour pour une déesse ou une mortelle dont le fils l'emportera sur celui qui l'aura engendré. Prométhée est sommé de s'expliquer par Hermès, messager de Zeus, mais il refuse. Il ne parlera que lorsqu'il sera délivré de ses liens. Dès lors ses supplices empirent et la montagne où il est attaché s'écroule sur lui. Cependant, la leçon de la trilogie entière consistait probablement à décrire la naissance d'un Zeus clément, généreux, tel que Belleau nous le présente aux vers 45 à 50.

9   Alcide, (« petit-fils d'Alcée ») est Hercule ; il tua d'une flèche l'aigle de Zeus qui dévorait le foie de Prométhée. Les vers 51 à 66 ressemblent à un résumé de la seconde pièce de la trilogie eschyléenne, *Prométhée délivré.*

PAGE 38

10   Au XVIe siècle on parle fréquemment du poumon de Prométhée et non de son foie. M. Verdier cite Ronsard, « Hymne de la Philosophie », v. 259-261 : *Qu'esse le Roc promené de Sisyphe, / Et les pommons empietez de la griffe / Du grand Vautour ?* (Lm VIII, 100).

11   Chez Eschyle, c'est Héphaistos (Vulcain) qui reçoit de Zeus l'ordre de fabriquer des liens d'airain et d'attacher Prométhée contre l'à-pic.

12   Cette légende est très connue ; mais Belleau se souvient peut-être de Servius : « dicitur auxilio Minervæ cælum ascendisse : et adhibita facula ad rotam solis ignem furatus : quem homnibus indicavit. » (Commentaire de la VIe *Eglogue*, v. 42.)

13   Servius termine ainsi son commentaire : « cui post sacramentum, quod eum nunquam se soluturum juraverat annulum de ipsis vinculis clausum [al. *clauso*] de monte Caucaso lapide dedit, ad pœnæ præteritæ indicium. » (Ed. H. A. Lion, II, p. 136.)

14   Belleau utilise ici le mythe de Prométhée à des fins limitées : il glorifie le « premier inventeur des Anneaux et de l'enchasseure des Pierres ». Mais en 1572, il avertissait ainsi le lecteur de la « Complainte de Promethée » (*Bergerie*, Seconde Journée, notre t. IV, pièce II) : « Je vous laisse à interpreter, sous les eschanges de ce temps, ce qui se peut entendre sous la peau de ceste fable tant celebrée des anciens ». Il invitait donc à y trouver un reflet de la situation de la France, ravagée par les guerres civiles.

15   Ces vers ont une signification morale destinée aux grands : les princes et les rois portent des anneaux en signe de puissance, mais ne doivent pas oublier Prométhée et la punition affreuse que Dieu réserve à ceux qui abusent de leur pouvoir. L'*Emblème 106* d'Alciat représente Prométhée enchaîné avec un aigle qui lui ronge le foie. La légende est « Quæ supra nos, nihil ad nos ».

1   Ce poème décrit un vrai « eschange », une métamorphose. De nos jours encore on appelle héliotrope une calcédoine vert foncé tachée de rouge. Cette pierre est souvent désignée également sous le nom de jaspe sanguin.

2   Calliope est la plus éminente des Muses, protectrice de la poésie épique et de l'éloquence.

3   Je chante les regrets que j'ai de mon héliotrope.

4   Rupture de construction : « et plaisoit » = et qu'il plaisait.

5   Sans nommer qui que ce soit, Belleau fait allusion à la légende d'Hélios, qui tomba amoureux de Leucothoé, fille d'Orchamos, roi de Perse. Jalouse, Clytie, la sœur de Leucothoé, avertit leur père, qui enterra Leucothoé vivante. Hélios, ayant essayé en vain de la ressusciter, oint son corps de nectar pour qu'elle puisse aller aux cieux ; à sa place pousse un arbuste à encens. Hélios rejette Clytie, qui pendant neuf jours refuse de boire et de manger et bouge seulement pour suivre le mouvement du soleil. Peu à peu

elle se transforme en une plante portant des fleurs comme des violettes, qui se tournent vers le soleil. Voir Ovide, *Mét.* 4. 190-270, que Belleau suit de près, tout en prétendant que ce n'est pas ce mythe qu'il veut utiliser. Il ajoute la couleur des fleurs et l'exclamation aux vers 11 à 12.

PAGE 39

6   Belleau en vient à la pierre, dont il fait une magicienne, peut-être à cause des propriétés remarquables qui lui sont attribuées par Pline, Marbode et Albert le Grand. Sa description de la sorcière s'inspire de Tibulle et des vers d'Horace contre la sorcière Canidie (en particulier *Epode* XVII, v. 77-78 – *et polo / deripere lunam vocibus possim meis* ; cf. aussi le v. 21 de « L'Heliotrope »). Cette imitation explique les ressemblances avec l'ode de Ronsard, « Contre Denise sorçiere » (1550 ; Lm I, 238-243), et, à un moindre degré, avec le *Jeu rustique* de Du Bellay, « Contre une vieille » (1558 ; éd. Saulnier, Paris, Minard, Genève, Droz, 1965, p. 130-134).

7   Voir Tibulle I. 2, v. 43-46 : *hanc ego de cælo ducentem sidera vidi ; / fluminis hæc rapidi carmine vertit iter : / hæc cantu finditque solum manesque sepulcris / elicit et tepido devocat ossa rogo.*

8   Les cérémonies magiques commencent normalement par une invocation propitiatoire aux divinités, surtout à celles qui président au monde infernal.

9   « La triple courriere » est Hécate, divinité grecque apparentée à Artémis, à Séléné, ou à Perséphone. Elle préside à la magie et à la divination et apparaît la nuit, escortée de chiens effrayants et de la troupe hurlante des Ombres. Voir Théocrite, *Idylles* 2. 10-16 ; Virgile, *Enéide* 4. 609 ; 6. 118, 247.

10   La magicienne Médée persuada les filles de Pélias que, si elles faisaient bouillir les membres de leur père, celui-ci rajeunirait (voir le v. 36 du poème de Belleau) ; par ce moyen, elle avait effectivement rajeuni son propre beau-père, Eson ; mais elle se garda de ressusciter Pélias. Ce n'est là que le début de ses méfaits. Pour les v. 27-35 de « L'Heliotrope », voir Tibulle, I. 2, v. 47-52 : *Jam tenet infernas magico stridore catervas, / jam jubet aspersas lacte referre pedem / cum libet, hæc tristi depellit nubila cælo : / cum libet, æstivo convocat urbe nives. / sola tenere malas Medeæ dicitur herbas, / sola feros Hecatæperdomuisse canes.*

11   Cette transformation semble avoir été inventée par Belleau.

PAGE 40

12   Le *je* poétique intervient fréquemment dans les dernières *Pierres*.

13   Belleau suit ici Marbode (p. 67) : *Hanc nunc Aethiopes, nunc Cyprus et Affrica mittit, / Sanguinis aspersum guttis, similemque Smaragdo.*

14   Pline, Solin, Marbode, Albert le Grand et Vincent de Beauvais mentionnent ce phénomène. Albert écrit (p. 260) : « placée dans un récipient plein d'eau, elle fait devenir le soleil rouge sang comme s'il subissait une éclipse. La raison en est qu'elle fait bouillir toute l'eau qui se transforme en buée qui, épaississant l'air, empêche le soleil d'être vu si ce n'est sous la forme d'une lumière rouge sortant d'un épais nuage. Cette

buée se condense ensuite et retombe comme des gouttes de pluie ». Belleau rend la description plus dramatique – il brode par exemple sur la façon dont la pierre peut changer la direction et la couleur du soleil, ou plutôt de la perruque d'Hélios même – et, dans les vers qui suivent, emploie une comparaison concernant la mer.

PAGE 41

15 Ces vers importants soulignent que la mention des propriétés des pierres, partie cruciale de leur description, devrait nous faire admirer la création divine.

16 Cf. Pline (XXXVII. 60. 165) : « eadem extra aquam speculi modo solem accipit deprenditque defectus, subeuntem lunam ostendens. »

17 Voir Marbode (p. 67) : *Sed quoque gestanti dat plurima vaticinari, / Atque futurarum quasdam prænoscere rerum. / Nosque bonæ famæ, quibus est data, laudibus ornat. / Servat et incolumes, producens tempora vitæ. / Sanguinis astringit fluxum, pellitque venena, / Nec falli poterit, lapidem qui gesserit illum.* – Belleau met l'accent sur la gloire que le porteur de la pierre peut acquérir.

18 Belleau omet une propriété que Pline présente avec scepticisme comme un produit de l'imagination des Mages, mais que Marbode reprend : jointe à la plante, la pierre est censée rendre son porteur invisible. Belleau laisse donc de côté ce qui est le plus invraisemblable. Au dernier vers, cependant, il souligne de nouveau les aspects sacrés de cette pierre.

1 La sélénite est le sulfate de chaux à structure foliacée. Le sous-titre grec veut dire « écume de la lune » ; ce mot est utilisé par Dioscoride (5. 159) et par Agricola (p. 257).

2 Le début est brusque, comme c'est souvent le cas chez Ronsard (qui préfère, cependant, commencer par *Ha* ou *Hé*). Pour le mot « croissant », voir Dioscoride, p. 427 : « Selenites lapis, quem aliqui aphroselenon appellarunt, quoniam noctu invenitur lunæ imaginem reddere, quæ cum ea quidem augetur et descrescit. »

3 Belleau, à la différence de Dioscoride, personnifie la pierre.

4 Séléné, sœur d'Hélios et d'Eôs, personnifie la lune. Jeune femme très belle au visage d'une blancheur qui fait pâlir les étoiles, elle parcourt le ciel sur un char d'argent attelé de deux chevaux noirs.

PAGE 42

5 Dioscoride, Pline, Agricola, Marbode, Vincent de Beauvais et Albert le Grand rapportent cette croyance. « Cheute en decours » est un raccourci saisissant qui évoque la lune dans son décours et bas dans le ciel.

6 Agricola fait brièvement allusion à cette légende, sans trop y croire (p. 257).

7 Endymion. Séléné tomba follement amoureuse de lui lorsqu'il dormait dans une caverne sur le mont Latmos en Carie.

8 Ce passage rappelle le début du « Coral » (v. 1-36) et le livre 15 des *Métamorphoses* d'Ovide, où celui-ci présente la doctrine de Pythagore : voir surtout v. 176-185.

9 Transmutation des quatre éléments ; la terre et l'eau sont lourds, et donc entraînés vers les régions inférieures ; l'air et le feu tendent vers les régions supérieures. Voir *Métamorphoses* 15.237-251, notamment 245 à 249: *resolutaque tellus / in liquidas rarescit aquas, tenuatus in auras / aëraque umor abit, dempto quoque pondere rursus /in superos aër tenuissimus emicat ignes. / inde retro redeunt, idemque retexitur ordo.*

PAGE 43

10 Voir Ovide, *Métamorphoses* 15. 252-257 : *Nec species sua cuique manet, rerumque novatrix / ex aliis alias reddit natura figuras. / nec perit in toto quidquam, mihi credite, mundo, / sed variat faciemque novat, nascique vocatur / incipere esse aliud, quam quod fuit ante, morique, / desinere illud idem.* – M. Raymond (*Influence de Ronsard*, I, p. 193) pense que le « transformisme » de ce passage vient directement de l'« Hymne de la Mort » de Ronsard (Lm VIII, 178). Mais c'est plutôt Ovide qui a inspiré Belleau.

11 Belleau se souvient de Marbode (p. 100) : *Dicitur esse potens ad amorem conciliandum, / Languentes etiam Phthisicos juvare putatur. / Toto gestatus crescentis tempore Lunæ.*

12 Cette description rappelle celle de Pline (XXXVII. 67. 181) : « Selenitis ex candido tralucet melleo fulgore. »

13 C'est une allusion à la structure foliacée de cette pierre. Elle servait parfois à vitrer les fenêtres.

14 Cette gracieuse pièce en octosyllabes résume avec entrain les théories de Pythagore.

1 *Asbestos* signifie « inextinguible » en grec. Les minéralogistes distinguent deux catégories de cristaux fibreux tissables très résistants à la chaleur : l'actinolite et le chrysolite, encore nommé *asbeste*, dérivé de la serpentine. Ces minéraux étaient couramment désignés par le mot latin *amiantus*.

2 Traduction de *meilikhia Kupris*, « Vénus la douce, la gracieuse » (*Anthologia Palatina*, 5. 226). En plaçant la pierre dans le temple de Vénus, Belleau suit Vincent de Beauvais (f° 86 r°, col. 2) : « Aiunt enim in templo quodam fuisse veneris phanum, ibique candelabrum, et in eo lucernam sub divo sic ardentem, ut illam nulla tempestas nullus imber extingueret. »

3 Voir aussi Marbode (p. 27) : *Nam semel accensus conceptos detinet ignes, / Extinguique nequit, perlucens perpeti flamma.*

4 Comparer Dioscoride (p. 427) : « Amiantus lapis in Cypro nascitur, scisso alumini similis : quo, utpotè flexili, telas et vela tantùm spectaculi gratia texunt, que, ignibus injecta ardent quidem, sed flammis invicta splendidiora exeunt. »

PAGE 44

5 Les veines du je sont remplies d'un feu semblable à celui de l'asbeste. Les vers 19 à 24 sont obscurs. M. Verdier propose l'interprétation suivante : « Mais mon amour

est trop discret et, pour qu'on mesure à quel point je gâche ma vie, il faudrait que je sois d'une matière semblable à cette roche ardente... » (*fussé-je* est un optatif).

6 Voir Pline (XXXVII. 54. 146) : « Asbestos in Arcadiæ montibus nascitur coloris ferrei. »

7 « Qui s'en sert » = pour celui qui s'en sert. Agricola (p. 258) indique que cette pierre sert à l'éclairage.

8 Comme l'observe M. M. Fontaine (tome I, p. 349, n. 6), les rimes répétant le gérondif plaisaient aussi à Ronsard.

9 Vénus, évoquée au vers 2.

10 Le poète demande à la pierre qu'il a consacrée à Vénus d'éveiller l'amour dans le cœur de sa dame, qui est la seule à être exclue du feu qu'il a évoqué. « Le beau jour » : la vie.

1 Le béryl est un silicate naturel d'aluminium et de béryllium, de couleur variable. L'émeraude est un béryl vert et l'aigue-marine est un béryl d'un bleu vert. La pierre a une forme hexagonale.

2 Pline écrit (XXXVII. 20. 76) : « probatissimi ex iis [berulli] sunt qui viriditatem maris puri imitantur ». Belleau a recours a un procédé d'amplification qui lui est habituel, en ajoutant à sa source une brève description des vents et de la mer calmée.

3 Il s'agit de ce qu'on appelait le chrysobéryl. Pline dit (*ibid.*) : « proximi qui vocantur chrysoberulli, paulo pallidiores, sed in aureum colorem exeunte fulgore. »

PAGE 45

4 Pline (*ibid.*) : « poliuntur omnes sexangula figura artificum ingeniis, quoniam hebes unitate surda color repercussu angulorum excitetur. aliter politi non habent fulgorem. »

5 A cet égard, le béryl ressemble à l'héliotrope (voir les vers 55 à 56 de ce poème).

6 Pline (*ibid.*) : « India eos gignit, raro alibi repertos. »

7 Belleau se souvient de La Rue (p. 116) : « Oculis humentibus, ructibus, suspiriis, jocineris quoque malis, illius cx aqua dilutum (infusionem nostri Seplasiarii vocant) non mediocriter auxiliatur. »

8 Cf. de nouveau La Rue (p. 116) : « Invenio et hanc Gemmam adversus hostium injurias, et contra segnitiem pollere, ingenio prodesse et conjugatos invicem conciliare. »

9 Belleau émet un semblable vœu dans « La Turquoise », v. 95-108 ; dans « La Pierre d'arondelle », v. 46-48 ; et dans « La Pierre sanguinaire dicte Haematités », v. 9-36.

1 Ce terme grec signifie « remplie d'eau. »

2 L'inversion et la position du verbe en tête de strophe accentuent le caractère subit de la mort de la bergère.

3 « Nul son desastre sentit » = personne ne remarqua l'accident qui lui arrivait. Comme en ancien français, un seul mot négatif était souvent suffisant à l'époque.

PAGE 46

4 Les nymphes manquent de reconnaissance, puisque la « belle brune » devait rendre un culte fidèle aux fontaines et aux sources.

5 Le poète joue sur le mot « fil », à la fois la laine que la jeune fille tissait et le fil de sa vie tenu par les trois Parques.

6 Encore une fois, la création de la pierre est perçue comme providentielle : de la souffrance et de la mort naît quelque chose de durable.

7 Quelque chose d'humain subsiste, puisque cette pierre a des veines et se lamente sur la cruauté d'Amour (la bergère est morte la veille de ses noces).

8 Cf. Marbode (p. 55) : « Perpetuis fluctus lachrymis distillat Enhydros. »

9 Voir Ovide, *Mét.* 6. 146-312 : Niobé, fille de Tantale et épouse d'Amphion, mère de sept fils et de sept filles, se vante d'être supérieure à Léto, qui n'a que deux enfants. Vengeant leur mère offensée, Apollon et Artémis tuent à coups de flèches tous les enfants de Niobé, que le chagrin change en pierre ; mais cette pierre continue à pleurer. Un tourbillon violent la transporte sur le sommet d'un mont en Sipyle (Lydie).

10 Belleau cherche fréquemment à stimuler l'admiration du lecteur ; cf. « Le Diamant », v. 85-90, v. 151-153, v. 169-174 ; « La Pierre d'aymant », v. 9-11, v. 149-155 ; « Le Coral », la reprise de la question « Qui croiroit que... ».

PAGE 47

11 Malgré l'eau qui s'écoule de cette pierre. Les vers suivants s'inspirent peut-être de Marbode (p. 55) : *Cuius naturæ grave fit deprehendere caussam : / Nam si decurrit lapidis substantia, quare / Non minor efficitur, vel non omnino liquescit ?*

12 Cf. Albert le Grand (p. 265) : « La raison en est très certainement que ces gouttes ne proviennent absolument pas de la substance même de la pierre mais que, du fait d'une froideur excessive, elle transforme constamment en eau l'air à son contact. » Albert donne une excellente description de la condensation de la vapeur d'eau sur un corps froid.

13 Belleau s'inspire de Pline (XXXVII. 73. 190) : « Enhygros semper rotunditatis absolutæ in candore leni est ; ad motum fluctuatur intus in ea, ut in ovis, liquor. »

14 La pleureuse est la *præfica*, payée pour pleurer à la tête du cortège funèbre. Aux larmes de la pierre correspondent les gouttes du sang du poète, puisque son amour n'est toujours pas payé de retour.

15 Chamard admire cette pièce (*Histoire de la Pléiade*, II, p. 287) : « Cette belle fille brune qui, `filant au cler de la lune', tombe avec son fuseau dans l'eau d'une fontaine et s'y noie, loin de ses compagnes ; ces lyriques regrets sur le cruel destin d'une enfant qui ne connut pas les joies de l'hyménée ; ce reproche aux Nymphes 'ingrates', qui n'ont pas secouru la jeune 'mesnagere' ; cette pitié des Dieux, qui changent en pierres larmoyantes l'émail de ses beaux yeux : tout cela, si frais et si poétique, appartient en propre à Belleau. Il n'est pas jusqu'au choix de ce mètre impair qu'est l'heptasyllabe, qui n'ajoute un charme de plus à ce tableau mélancolique et, par la

musique des strophes, ne parachève heureusement la valeur d'art de ce petit chef-d'œuvre. » Claude Faisant propose pour le poème une interprétation religieuse : « cette pierre qui pleure interminablement est à la fois Pierre de Douleur et de Compassion [...]. Pierre de rachat et de rédemption, elle devient par là même une sorte d'emblème christique, comme toutes les autres pierres marquées d'un sang divin » (p. 105).

    1   L'étymologie du jais (*gagates* en grec et en latin) renvoie peut-être au fleuve Gagas ou Gaggai en Lycie, où il est censé avoir été trouvé pour la première fois (voir les quatre derniers vers). Galien dit avoir parcouru toute la côte de Lycie, cherchant en vain ce fleuve afin de pouvoir étudier la *gagates* de près (*Opera omnia*, ed. Kühn, Lipsiæ, 1826, vol. XII, p. 207). Le jais, variété dure de lignite, d'un noir luisant, peut être taillé ou travaillé au tour et poli, mais il n'est plus considéré comme une pierre précieuse.

    2   Dans la traduction des Commentaires de Mattioli sur Dioscoride par Jean des Moulins, on trouve le même jeu de mots (p. 746).

PAGE 48

    3   Pline écrit simplement (XXXVI. 34. 142) : « fugat serpentes ». Belleau décrit la marche du serpent, rendant son évocation plus vive par la répétition (« pli dessus pli », et deux gérondifs), et le compare à une galère puis à la mer, évoquée de nouveau par la répétition (« flot dessus flot », et deux gérondifs). Il y a quelque ressemblance avec deux passages dans lesquels Ronsard compare un navire à une chenille (« Hymne de Calaïs, et de Zetes », v. 697-702, Lm VIII, 291 ; *La Franciade*, 1. 1229-1234, Lm XVI, 90-91).

    4   « Ayant prise et humée » : accord par anticipation du participe placé avant l'objet direct. La règle moderne fut énoncée pour la première fois par Clément Marot dans un poème publié en 1538, mais il n'y avait toujours pas de règle fixe gouvernant l'accord du participe passé des verbes conjugués avec *avoir*.

    5   Voir le lapidaire orphique (p. 107) : « Ils [les reptiles] fuient également les émanations de la pierre de jayet accablant tous les mortels de ses âcres vapeurs. [...] elle élève une flamme divine mais a sur l'odorat des effets pernicieux. »

    6   Avec humour (un aspect de la poésie de Belleau qu'on ne doit pas négliger), le poète demande à la Muse de parfumer son encre, ses vers et son visage, à cause de la mauvaise odeur de la gagate. Il joue sur l'expression « ancre sacrée » qui, au sens propre, désigne l'ancre maîtresse, à laquelle on a recours quand les autres sont insuffisantes ; au figuré, l'expression, symbole de l'espérance, dénote le recours à la dernière ressource. Belleau fait allusion aussi à la cérémonie d'initiation à la poésie sur le Parnasse, pendant laquelle la Muse baigne le poète pour le purifier. Voir Ronsard, « Hymne de l'Autonne » : *la gentille Euterpe ayant ma dextre prise, / Pour m'oster le mortel par neuf fois me lava / De l'eau d'une fontaine où peu de monde va* (Lm XII, 48-49)

    7   Cf. Pline (XXXVI. 34. 141) : « niger est, planus, pumicosus, levis, non multum a ligno differens, fragilis. » Quant à l'odeur, Pline indique : « cum uritur, odorem sulpureum reddit » ; « de forte teinture » rappelle Pline de nouveau : « fictilia ex eo inscripta non delentur ».

8   Pline : « mirumque, accenditur aqua, oleo restinguitur. » Marbode écrit pareillement (p. 57) : « Ardet aqua lotus, restinguitur unctus olivo ».

9   Pline : « idem ex vino decoctus dentibus medetur ».

10 Voir Albert le Grand, p. 272 : « Il est prouvé également que l'eau dans laquelle elle a trempé, ou ses fumées, appliquées par en dessous, provoquent la venue des règles chez les femmes ».

11 Voir Pline : « strumisque [medetur] ceræ permixtus. » « L'escroüelle » (scrofule), inflammation tuberculeuse des ganglions lymphatiques, passsait pour être guérie par le roi de France.

12 Pline : « hoc dicuntur uti Magi in ea quam vocant axinomantiam, et peruri negant si eventurum sit quod aliquis optet ».

13 Albert le Grand remarque (p. 272) : « On dit encore qu'elle est bonne contre les douleurs de l'enfantement ».

14 Pline : « deprendit [...] virginitatem suffitus ». Albert le Grand fournit des précisions à ce sujet, mais sans parler de fumigations (p. 272) : « On rapporte aussi qu'il a été prouvé que si l'eau dans laquelle elle a trempé, après avoir été filtrée, est donnée avec un peu de sa poudre à une fille vierge, celle-ci la retient et ne peut plus uriner, alors que si la fille n'est pas vierge, elle urine aussitôt ».

15 Albert écrit (p. 272) : « elle est bonne [...] contre les idées noires provoquées par la bile où certains voient des démons ».

PAGE 49

16 Cette graphie est destinée à donner l'impression que l'alternance des rimes féminines et masculines a été respectée.

17 Voir Pline : « Gagates lapis nomen habet loci et amnis Gagis Lyciæ ».

1   La sardoine est une calcédoine de couleur brun rouge. Son nom vient peut-être de l'hébreu *sered* (pierres rouges), et serait à l'origine aussi bien du nom de la ville de Sardes, en Asie Mineure, que de la Sardaigne. Elle a été nommée *sardinus lapis* (pierre de Sardaigne) durant tout le Moyen Age et a reçu sous la Renaissance le nom de « sardoine » qu'elle porte encore. – Dans « L'Onyce », v. 85-86, Belleau classait cette pierre avec l'onyx et la carchédoine. Ici, il reproduit ce que Pline, Vincent de Beauvais, La Rue et d'autres disent du sardonyx (agate dont une des couleurs est le brun rouge). Albert le Grand est le seul à distinguer sardoine et sardonyx.

2   Voir Pline (XXXVII. 2. 3) : « His initiis cœpit auctoritas in tantum amorem elata ut Polycrati Samio, insularum ac litorum tyranno, felicitatis suæ, quam nimiam fatebatur etiam ipse qui felix erat, satis piamenti in unius gemmæ voluntario damno videretur, si cum Fortunae volubilitate paria fecisset, planeque ab invidia eius abunde se redimi putaret, si hoc unum doluisset, adsiduo gaudio lassus ».

3   Pline (XXXVII. 2. 4) : « ergo provectus navigio in altum annulum mersit ».

4   Pline en fait un sardonyx : « sardonychem eam gemmam fuisse constat. » Hérodote en avait fait une émeraude.

5   Belleau brode sur Pline : « at illum piscis, eximia magnitudine regi natus, escae vice raptum, ut faceret ostentum, in culina domino rursus Fortunæ insidiantis manu reddidit ». Le vers 21, avec sa césure marquée, évoque la façon subite dont l'anneau est restitué à Polycrate.

PAGE 50

6   Belleau suit La Rue distingue les onyx des sardes et précise, à propos de ces dernières (p. 112) : « subrubente zona praecinguntur, à qua deinde linea alba in gyri modum ambiuntur » ; cf. ce que Pline dit du sardonyx (XXXVII. 23. 86).

7   Marbode écrit à propos du sardonyx (p, 99) : « Albus, et hinc niger est, rubeus supereminet albo. »

8   Voir Pline (XXXVII. 23. 89) : « item circuli albi quædam in iis cælestis arcus anhelatio est ».

9   A rapprocher de Marbode (p. 99) : *Sardonicem faciunt duo nomina Sardus Onyxque : / Tres capit ex binis unus lapis iste colores.* – Vincent de Beauvais écrit (f° 92 r°, col. 2) : « Sardonis ex duobus lapidibus naturaliter factus est, in parte rubeus ex lapide sardio, in parte vero albus, et in parte niger, qui duo colores sunt ex parte onicis. » Et Agricola observe (p. 290) : « Quoniam vero interdum rubro sardæ corpori candidum onychis substernitur, ex utraque gemma sui generis tertia et oritur, et nomen sardonyches invenit. »

10   La source est soit Marbode (p. 99) : « Hic humilem castumque facit, multumque pudicum », soit La Rue (p. 113) : « Adversus venerea pollere et animi fastum ».

11   Pline, Marbode, Vincent de Beauvais, Albert le Grand (sous *sardonyx*), Agricola et La Rue signalent comme lieux de gisement l'Inde et l'Arabie.

Dans ce poème, la description de la gemme met l'accent sur les couleurs et sur la façon dont les pierres peuvent se mêler les unes aux autres. Belleau raconte avec verve l'histoire de Polycrate et avertit obliquement les grands de ce monde que la fortune pourra les renverser du jour au lendemain (voir les vers 23 à 24, qui ne sont pas dans ses sources et la brève observation du vers 38).

1   M. Verdier voit ici une nouvelle allusion à l'amour du poète pour la maréchale de Retz et dit que le bleu devait être sa couleur préférée, puisqu'il lui avait déjà dédié « La Turquoise ». Rien ne permet d'épouser cette idée avec certitude.

2   On trouve rarement le terme « pierre d'azur » dans les lapidaires. Pline (XXXVII. 38. 119) semble désigner le lapis-lazuli par le terme *cyanos*, repris par Solin et La Rue. Le lapis-lazuli est un feldspathoïde d'un bleu d'azur ou d'outremer.

3   Tournure elliptique d'allure scévienne. Comprendre : « plus *je* l'abandonne, plus *elle* me suit ».

PAGE 51

4   La Rue écrit (p. 149 et p, 150) : « Est itaque Cyanos, Caeruléave Gemma lapillus substantia quidem Jaspide haud absimilis, colore Cæruleo. [...] Lapis est sculpturæ non usque adeò contumax. »

5   Pline : « optima Scythica, dein Cypria, postremo Aegyptia ». La Rue dit la même chose. De nos jours, on trouve le lapis-lazuli surtout en Afghanistan (où les mines de Badakshan sont exploitées depuis six mille ans), en Sibérie, en Birmanie, en Californie et au Chili.

6   Pline mentionne cette poudre d'or, mais c'est de La Rue que se rapproche la comparaison de Belleau (p. 149-150 : « Probatur aureo pulvere conspersa. Unde et stellatum lapidem dici invenio, quòd stellis similiter lumini expositus aureo pulvere scintillet »). Belleau développe sa source en utlisant des adjectifs (« ombreuse », et « estoilleuse », mot qu'il a peut-être inventé et qui lui permet d'être succinct) et l'adverbe « vivement ».

7   Voir La Rue (p. 150) : « Præfertur quæ Cæruleum sui nominis præstantissimum (quem nostri Azurum vocant) colorem assequitur, consimili undequaque substantia et concremento. »

8   La Rue (p. 150-151) : « adversus melancholicos affectus eius pollen toties ablutus dum eius dilutum peregrinum nullum præ se ferat saporem efficacissimè ingeri, literis et experientia confirmatur. Melancholicum enim humorem per inferna deponit. [...] Oculorum aciem reficit atque demulcet ».

9   La Rue (p. 150) : « Nec desunt qui pueris à collo gestatum nocturnos arcere pavores testentur ».

10   La Rue signale d'abord que la pierre préserve de l'avortement (p. 151) : « Collo appensus prægnantes ab aborsu adscrere perhibetur. » Puis il ajoute : « Volunt autem appetente partu semoveri. »

11   Il n'est guère surprenant d'apprendre que cette pierre bleue peut exercer un pouvoir calmant.

Dans cette pièce un poème d'amour se mêle à la description d'une gemme, mais c'est cette dernière qui est le personnage principal. C'est la pierre qui est tutoyée et dont les charmes sont décrits. La dame n'apparaît qu'à la troisième personne et n'est évoquée physiquement qu'aux vers 2 et 3. Seule la pierre saura lui parler pour essayer d'avancer la cause du poète. Comme dans la plupart de ces poèmes, la gemme est dotée de caractéristiques humaines, tandis que l'être humain qui est évoqué est dur, cruel et capable de devenir furieux (voir le vers 46).

PAGE 52

1   Après un poème d'amour vient une diatribe politique. En tant qu'homme tolérant et pacifique, Belleau a souffert des guerres de religion. Dans ce recueil il ne prend plus position, ni en faveur des protestants (comme il l'avait fait en 1560 en soutenant le prince de Condé, ou en 1563 avec *La Reconnue*), ni en faveur des catholiques (comme il l'avait fait vers 1567 avec le *Dictamen metrificum* et en 1569 avec le *Chant de triomphe sur la victoire de Moncontour*). Il condamne tous les combattants sans exception puisqu'il est convaincu qu'ils n'ont que des motifs politiques.

Le nom de l'hématite vient du grec *haima* (sang). L'hématite, ou oxyde de fer, peut avoir une apparence granuleuse, voire poudreuse (ocre rouge utilisée comme pigment).

Elle peut aussi se présenter sous forme de beaux cristaux de couleur gris-noir, mais laissant toujours par frottement une trace rouge.

2 M. Verdier s'avoue perplexe devant ce chiffre, puisque le poème a sans doute été écrit fin 1576 – début 1577, au moment où débute la sixième guerre de religion, et que la première guerre de religion a éclaté en 1562. Si Belleau avait simplement voulu arrondir le chiffre, il aurait pu écrire « quinze ans ». Verdier suppose que le point de repère est l'édit de Compiègne du 24 juillet 1557, qui fortifia la juridiction laïque et l'arma impitoyablement. Henri II disait qu'à lui seul appartenaient « la correction et punition de telles séditions et troubles, pour en icelle vivre un chacun en la crainte et obéissance de Dieu, de son Eglise, et en paix et tranquillité » ; il réservait à la juridiction laïque le jugement de tous les non-orthodoxes, toutes les fois qu'il y aurait scandale et perturbation. Les juges n'avaient plus la faculté de choisir entre les peines ni de les modérer ; ils ne disposaient que de la peine de mort.

Il est difficile de dire que Belleau évoque non seulement les guerres civiles mais sa propre expérience en Italie (1556) car il parle explicitement des souffrances de la France.

Les ports mentionnés au vers 3 ont joué un grand rôle : les protestants cherchaient à avoir des places où ils puissent recevoir l'aide des Anglais (par ex. Le Havre, qui capitulera en juillet 1563, ou La Rochelle, assiégée en 1568 et en 1573, par le futur Henri III, alors duc d'Anjou, mais jamais prise).

3 Le parallèle avec Prométhée est clair.

4 Il existe un désaccord profond entre les princes, surtout depuis que François, troisième fils d'Henri II, a rejoint le prince de Condé et s'est mis à la tête des « malcontents » (1573). D'abord duc d'Alençon, ensuite duc d'Anjou, il intrigue contre Charles IX, puis contre Henri III. De son côté, Henri de Navarre, élevé par sa mère dans le protestantisme, devint très tôt le chef du parti calviniste. Il échappa à la Saint-Barthélemy en abjurant, mais parvint à s'enfuir (1576) pour reprendre la tête de l'armée huguenote. Les termes « envie », « rancueur », « jalousie » (v. 17-18) sont vraiment de mise ici.

5 Construction obscure. Belleau veut peut-être dire : « La preuve de la puissance de Dieu s'imposerait à tous si les grands, aveugles depuis longtemps à leurs propres fautes, ne méconnaissaient le Ciel ».

6 Après les Princes, les Grands sont attaqués. Il s'agit non seulement des chefs protestants, comme l'amiral de Coligny, et de ceux qui leur sont favorables, comme François et Henri 1er de Montmorency, mais aussi des défenseurs du catholicisme comme Henri de Guise et Charles de Lorraine.

7 Cette attaque vigoureuse repose sur des éléments bibliques. Le bourbier rappelle le Psaume 69, v. 2 : J'enfonce dans la bourbe du gouffre, / et rien qui tienne, et v. 15 : Tire-moi du bourbier, que je n'enfonce, / que j'échappe à mes adversaires, / à l'abîme des eaux ! – Pour l'expression « aveugles-nez », voir par ex. Marc 8. 17-18 ou Matthieu 15. 14 : « Laissez-les : ce sont des aveugles qui guident des aveugles ! Or si un aveugle guide un aveugle, tous les deux tomberont dans un trou ». Quant au terme « avorton », Paul se l'applique à lui-même, par ex. dans II Cor. 10. 10. Les ruptures de construction

dans ce passage sont saisissantes : Dieu, tutoyé au début, devient une troisième personne (« son bras vengeur »), tandis qu'on a le mouvement inverse pour les « Grands ». Tout se passe comme si Belleau voulait imiter le désordre que connaissent ceux qui vivent sans Dieu.

PAGE 53

8 Belleau écrit sans doute en 1576, lorsque commence la sixième guerre de religion, causée par le désir d'Henri duc de Guise de créer une troisième force dans le royaume (la Ligue catholique) et de maintenir l'équilibre entre le roi et les huguenots.

9 Belleau se souvient de Marbode (p. 71) : / Sumpsit Hæmatites græcum de sanguine nomen, / Naturæ lapis humanæ servire creatus.

10 Marbode parle (p. 71) de la « stiptica [...] virtus » de la pierre. Albert le Grand écrit (p. 262) : « Elle a un très fort pouvoir astringent de sorte qu'il est démontré que, bue broyée en mélange avec de l'eau, elle est bonne contre les saignements de la vessie ou des règles. »

11 Cf. Pline (XXXVII. 60. 169) : « Zachalias Babylonius in iis libris quos scripsit ad regem Mithridatem gemmis humana fata adtribuens hanc, non contentus oculorum et jocineris medicina decorasse, a rege etiam aliquid petituris dedit, eandem litibus judiciisque interposuit, in prœliis etiam ex ea ungui salutare pronuntiavit. »

12 Voir Marbode (p. 71) : *Nam palpebrarum supèr illitus, asperitatem, / Et visus hebetes pulsa caligine sanat.*

13 Voir Marbode (p. 71) : « et qui linit hulcera, sanat », et, plus loin : *Carnes crescentes in vulnere, pulveris huius / Vis premit.*

14 Marbode : *Vel resolutus aqua, juvat hos qui sanguinis, ore / Guttas emittunt.*

15 Marbode (p. 71) : « Vesicæ lapidem bibitus dissolvere fertur. »

16 Marbode : *et ventrem retinet sine mora fluentem. / Vino dilutus veteri bibitusque frequenter, / Serpentis morsus, vel quod fit ab aspide vulnus / Egregie curat. Et visus hebetes pulsa caligine sanat.*

17 Dans la citation ci-dessus, Pline fait allusion aux problèmes du foie.

18 Voir l'avant-dernière citation de Pline.

19 Selon Pline (XXXVI. 38. 147), l'Arabie est aussi un lieu de gisement de cette pierre.

20 Ce poème est émouvant à cause de l'accent de sincérité du poète se lamentant sur le sort de la France et de la conviction avec laquelle il fulmine contre les grands.

PAGE 54

1 Selon M. Verdier, ce poème aurait été composé en février 1577. D'après U. T. Holmes (« Background and Sources of *Pierres précieuses* », p. 627), la « longue et fascheuse maladie» dont souffrait Belleau aurait été la tuberculose pulmonaire, contre laquelle le lait était depuis Hippocrate le remède souverain ; mais ce diagnostic n'a rien de certain.

Galaktites est le nom grec de cette pierre (*gala* = « lait »).

170   *PAGE 56*

2   = Qui me l'aurait ravie.

3   Sur cette légende bien connue de l'origine de la Voie Lactée, voir J. A. de Baïf, *Premier des Meteores*, éd. Champion, t. I, v. 887-896.

4   Le poète, trop faible pour chanter Hercule et la Voie Lactée, jure de célébrer le lait si Hercule et Apollon, né à Délos, lui prêtent des forces. « Devot » : il s'agit de la dévotion au lait. Les vers sont un peu difficiles à suivre, puisqu'ils désignent d'abord le poète à la première personne (v. 5), puis à la troisième (v. 13-14), et ensuite de nouveau à la première personne (v. 16-18).

5   Ces vers appuient la thèse de M. Verdier, selon qui ce poème fut composé « à quelques jours » de la mort de Belleau, car ils dépassent en intensité les traditionnelles protestations de modestie.

6   Belleau renonce à l'hymne du lait pour chanter la galactite.

7   Cf. le lapidaire orphique (p. 92) : « d'autres observèrent qu'il valait mieux en fait l'appeler « pierre de lait » car, en l'écrasant, on en exprime un liquide pareil à la blancheur du lait. » Voir F. de Mély, *Les Lapidaires de l'antiquité et du moyen âge*, vol. III (Paris, Ernest Leroux, 1902), p. 110-113.

PAGE 55

8   Les « hommes outrecuidez » sont probablement ceux qui, ne reconnaissant pas leur propre ignorance, prétendent se passer de Dieu pour expliquer le monde ou, en tout cas, ceux qui refusent de croire aux propriétés miraculeuses des oiseaux, des animaux, des plantes, des poissons ou des pierres.

9   Belleau compare Dieu à un hôte qui donne tout (« qui n'a rien qui ne s'oste ») et ne rencontre que l'ingratitude. La véhémence du poète est traduite par les adjectifs et les substantifs.

10   Inversion frappante : « en maillot » est à rattacher à « enfans ».

11   Voir Marbode (p. 63) : *Hunc lapidem cineri similem, Galactita, dicunt / Cum mulsa tritum, lac multiplicare bibenti, / Si tamen ante cibos fuerit post balnea sumptus.*

12   Belleau développe Marbode : *Aut ovis ex gravidæ lana traducere filum / Pertuso lapidi decet, et circundare collo : / Sic se portantis fœcundat ubera lacte.*

13   Marbode : *At si mundato circumspargatur ovili, / Cum sale mixtus aquae, solis redeuntis in ortum, / Lacte replentur oves.*

PAGE 56

14   Belleau paraît se souvenir du lapidaire orphique (p. 92-93) : « Quand tu verras maigrir le pis de tes brebis [...] Place-toi juste en face du soleil au levant ; purifie-les d'abord en tournant autour de toutes ; versant dans un cratère de la saumure et la pierre réduite en fine poudre, parcours alors le troupeau des brebis et des chèvres en aspergeant la fourrure serrée de chacune des bêtes au moyen d'une branche porteuse de fruits. Toutes enfin guéries, les voici entourant leur étable, à nouveau pleines de lait. »

15   Marbode : « scabiesque fugatur ab illis. »

16 Le lapidaire orphique dit (p. 92) : « D'autres l'appelaient « pierre d'oubli », car, sans trêve, elle chasse le souvenir du mal et des misères, loin des hommes et des dieux. Elle rend les cœurs bienfaisants et ses charmes font naître dans les âmes de doux sentiments. »

17 On trouve la même rime, *France / vengeance*, dans le poème précédent, v. 9-10 ; là aussi le poète condamne les guerres de religion.

18 Voir Marbode (p. 64) : *Hunc mittit Nilus, producit et hunc Achelous, / Lactis dat succum tritus, lactisque saporem.*

L'Achéloos est un fleuve de Grèce (long de 220 kilomètres) qui traverse l'Acarnanie et se jette dans la mer Ionienne.

Ce poème est assombri par l'évocation de la maladie à laquelle Belleau succombera, ainsi que par la mention des guerres de religion et de l'aveuglement des hommes. Mais il y a de l'humour dans la description du rituel à suivre pour guérir les brebis ou pour qu'une nourrice retrouve son lait. L'évocation de la pierre et de ses vertus, charmante et détaillée, met l'accent sur l'allaitement, motif important chez Belleau et lourd de connotations religieuses. Les derniers mots de la pièce, « le père nourrisseur », rappellent qu'il faut finalement se fier à Dieu.

LES APPARENCES CÉLESTES D'ARAT

PAGE 57

1 Sur Aratos, voir l'introduction des pièces X et XI dans le tome IV. Les v. 1 à 38 correspondent aux 18 premiers vers d'Aratos, hymne à Jupiter cosmique qui sert de prélude à toute l'œuvre. L'exhortation à commencer le poème par le nom de la divinité était un lieu commun des lyriques anciens, puis de la Pléiade : *A Jove principium* (Virgile, *Egl.* III, 60, textuellement repris par Germanicus au début de sa traduction : *Ab Jove principium magno deduxit Aratos / carminis...*) ; cf. Ronsard, Lm I, 63 ; XV, 261 ; XVI, 345, etc. Les scholiastes remarquent que l'Hymne aux Muses d'Hésiode, dont s'inspire Aratos, commence par les Muses et se termine par Zeus (à l'inverse de celui-ci. Voir ci-dessous, v. 34).

2 La notion de grâce est introduite par Belleau.

3 C'est ce vers d'Aratos que cite saint Paul dans son discours aux Aréopagites (Actes 17, 28 : *quidam vestrorum poetarum dixerunt : Ipsius enim et genus sumus*).

4 L'accent doit être mis sur *montrer* ; le grec dit seulement : *il leur donne des signes*, ce qui prépare l'idée de pronostics tirés des phénomènes.

PAGE 58

5 Le français développe l'idée de paresse, absente chez le grec, qui dit seulement : *il éveille les peuples au travail.*

6 Amplification en trois vers et demi d'un hémistiche évoquant les *lois de la vie.*

7 Cf. t. IV, 2de Journée, II, *Complainte de Prométhée*, v. 210.

8 Cette reprise du motif initial signale le soin apporté par Aratos à la composition du prélude que les amplifications de Belleau ont tendance à masquer.

9   Les vers suivants forment une transition entre l'hymne à Zeus et le corps du poème. Ils correspondent aux v. 19 à 26 d'Aratos, décrivant un premier « phénomène », le mouvement diurne du ciel autour de l'axe du monde.

PAGE 59

10 Le problème de l'origine du mouvement cosmique était résolu de différentes façons. Voir Baïf, *Premier Livre des Poemes, Le Premier des Meteores*, éd. Demerson, notes des v. 33-37.

11 D'après les v. 27 à 44 d'Aratos.

12 Aratos introduit le développement mythologique par une réserve destinée à le démarquer du domaine scientifique.

13 Le texte grec a posé de grandes difficultés aux interprètes, mythographes et cosmographes ; voir *Aratos. Phénomènes*, texte établi, traduit et commenté par Jean Martin, Paris, Belles-Lettres (coll. Budé), 1998, p. 72-91.

14 Variante de la légende de l'enfance de Zeus : pour faire échapper le nourrisson à la voracité de son père Kronos, sa mère Rhéa le remplaça par une pierre emmaillotée et, dans une grotte de l'Ida en Crète, le confia aux nymphes Kynosoura et Hélikè (la garde assurée par la chèvre Amalthée est plus connue ; cf. plus bas, v. 334 et suiv.). Les Curètes, démons célèbres pour leurs danses militaires bruyantes, furent chargés de couvrir les vagissements de l'enfant en entrechoquant leurs boucliers d'airain. Zeus métamorphosa les nymphes en ourses stellaires pour les soustraire à la poursuite de Kronos. Voir la scholie latine imprimée depuis 1499 avec la traduction de Germanicus (*Fragmentum Arati Phænomenorum per Germanicum in latinum conversi cum commento nuper in Sicilia reperto*).

15 Etrange justification étymologique : *Cynosure* signifie « queue de chien » et *Hélikè* « spirale ».

PAGE 60

16 Sidon représente ici la Phénicie citée plus haut.

17 Le Dragon est évoqué dans les v. 45 à 62 d'Aratos, qui omet de relier son origine avec le mythe des Ourses (Zeus s'est métamorphosé lui-même en Dragon astral quand les nymphes furent transformées en étoiles).

18 On remarque l'effort de Belleau pour évoquer par le rythme et les rejets le mouvement de reptation du Dragon.

PAGE 61

19 A droite pour l'observateur : il s'agit donc du côté *gauche* du monstre.

20 En fin de course, la tête du Dragon semble effleurer l'horizon au nord.

21 L'Agenouillé est évoqué dans les v. 63 à 70 d'Aratos.

22 La Couronne est évoquée dans les v. 71 à 73 d'Aratos, qui mentionne allusivement le mythe bien connu du diadème d'or offert par Dionysos à Ariane.

PAGE 62

23 Ophiuchus (le Porte-Serpent) est évoqué dans les v. 74 à 81 d'Aratos, et le Serpent qui l'enlace, dans les v. 82-89. Le scholiaste latin reconnaît ici Esculape, dont il conte la légende.

24 Un des intérêts du poème grec est de situer les constellations les unes par rapport aux autres (*astrothésie*), en une révélation progressive du ciel étoilé.

25 Le poème se présente comme un guide pour l'observateur nocturne.

PAGE 63

26 Le Bouvier est évoqué dans les v. 91 à 95 d'Aratos ; cf. ci-dessous, *Prognostiques*, v. 19.

27 La Vierge et le mythe de l'âge d'or sont évoqués dans les v. 96 à 136 d'Aratos. Sur ces mythes, voir Jacqueline Boucher, *Société et mentalités autour de Henri III*, Lille, 1981, p. 1098-1101 – G. Demerson, « Remy Belleau et la naissance du monde » in *La naissance du monde et l'invention du poème* (Mélanges Yvonne Bellenger), Paris, Champion, 1998, p. 193-215.

28 En effet, les traditions diffèrent : pour le scholiaste latin et pour Hygin (*Astr. Poet.* II, 25), Astrée est le nom de la Vierge, fille de Zeus et de Thémis, déesse de la Justice. Elle régnait sur terre à l'époque de l'âge d'or ; c'est la méchanceté croissante des hommes qui l'incita à se réfugier au ciel. En souvenir de la civilisation pré-agricole de l'âge d'or, on la représentait avec un épi de blé à la main.

29 Le verbe grec exprime ici non un fait mais un souhait.

PAGE 64

30 A partir d'un vers grec et demi (v. 110-111), les 9 vers suivants développpent, à l'exemple de la paraphrase d'Avienus, un lieu commun horacien, souvent repris à la Renaissance.

31 Afin de développer canoniquement le lieu commun de la fécondité naturelle antérieure à la technique, Belleau, peut-être encouragé par la traduction confuse de Germanicus, n'hésite pas à commettre un contresens (Aratos, v. 112-113 : « bœufs, charrues et Justice leur procuraient toutes choses à l'infini »).

32 Cette tirade de 8 v. va développer un vers de transition (v. 114).

PAGE 65

33 En grec, ce n'est pas la nuit qui est personnifiée, mais c'est Justice qui « emplit d'hommes les amples collines ». A partir d'ici jusqu'au v. 264, Belleau transforme totalement les 4 vers d'Aratos en un développement cher aux partisans de la paix à l'époque des guerres civiles, où le mythe de l'âge d'or était d'actualité.

34 La race de l'âge d'or ; cf. plus loin, « les bons peres dorez ».

35 Les 16 v. suivants développent les v. 127-136 du grec.

36 Le Français illustre l'énoncé précédent en introduisant cette image qui est commune à la Bible et aux *Géorgiques* de Virgile (I, v. 508 ; II, v. 539-540, dans un passage d'ailleurs inspiré d'Aratos).

37 Belleau n'assume pas la modification qu'il avait apportée au texte ; cf. ci-dessus, note du v. 212.

38 Cf. plus haut, v. 173. La composition du poème grec est rigoureuse et contribue à diriger à travers la voûte étoilée le regard de l'observateur.

39 Traduction des v. 137-146 du poème grec, où le passage correspondant à cet hémistiche et au v. précédent n'est pas d'Aratos.

40 La mention de l'étoile Protrygeter (*e* de la Vierge, en latin *Vindemiatrix*, transcrit en *provindemiatrix* par la traduction latine en hexamètres de 1535) manque souvent dans la tradition manuscrite.

41 Aratos, moins précis, mentionne « la queue de la Grande Ourse ».

42 Les 3 vers suivants transposent le v. 147 du grec.

43 Le Grec évoque le Lion dans les v. 147-155. Il amplifie le passage relatif à la navigation soumise aux vents étésiens (c. à d. « annuels » : vents méditerranéens soufflant du nord chaque année pendant six semaines). Mais, moins pittoresque que le Français, il dit : « les pattes postérieures » ; il ne parle pas de l'aspect hérissé du Lion. Belleau a été impressionné par la traduction de Germanicus (*horrentes jubas*) et par le bois gravé qui l'illustre dans l'édition vénitienne : la crinière se compose d'une barbe fluviale et d'une sorte de crête, et l'animal est très poilu. A l'époque d'Aratos, le soleil entrait dans la constellation du Lion dans la seconde quinzaine de juillet.

44 Le Cocher et la Chèvre sont évoqués dans les v. 156-166 d'Aratos.

45 Cette notation psycho-sociologique n'est pas dans le grec. Cf. Germanicus : *hædos / Ostendit nautis inimicum sidus…*

46 En grec : *observent les hommes dispersés sur les flots.* Cf. Germanicus : *nautasque paventes / Sparsaque per sævos morientum corpora fluctus.* A l'époque d'Aratos, cette période correspondait à celle des tempêtes de notre mois de novembre.

47 Belleau ne semble pas bien suivre le grec, qui dit simplement : *le sommet de sa tête tourne en face d'Hélikè.*

48 Belleau semble ne pas avoir eu le temps de revoir sa traduction ; il ajoute, pour la rime, l'adjectif *panchée*, et il n'a pas pris garde au genre grammatical de la périphrase qu'il introduit (le grec écrit : *la Chèvre attachée à son épaule gauche*). Sur la légende de la Chèvre Amalthée, voir plus haut, n. du v. 69.

49 En grec : *hypophètes* ; il s'agit des mythographes dont Aratos s'inspire, comme le Pseudo-Epiménide ou Musée (cf. A. Schott u. R. Börker, *Aratos. Sternbilder und Wetterzeichen*, München, Hueber, 1958, p. 23). L'ajectif *ôlenia* signifie « placée près du coude » (*ôlenè*) du Cocher.

50 Traduction des v. 167-178 du grec.

51 Cette posture n'est pas notée par Aratos, non plus que sa *fureur* ou son *audace*.

PAGE 69

52 Aratos évoque Céphée dans les v. 179 à 185 ; il semble que ce soit lui qui ait inventé sa parenté avec Iasion, fils de Zeus et d'Electre.

53 Aratos évoque Cassiopée dans les v. 186 à 196 sans mentionner son tourment. Belleau évoque son mariage avec *son* Céphée, le roi d'Ethiopie, d'après Ovide, *Métam.* IV, 738. Il a dû être impressionné par la représentation de Cassiopée (sans doute confondue avec Andromède), enchaînée au carcan, qui accompagne l'édition vénitienne des *Phénomènes* pour illustrer les vers de Germanicus décrivant son supplice terrible, *ipsa horrida vultu / Sic tendit palmas, ceu sit planctura relictam / Andromedam meritæ non justa piacula matris...*

PAGE 70

54 Belleau renonce à comprendre le difficile v. 191, qui embarrassait traducteurs, commentateurs et même éditeurs : mot à mot : *les étoiles qui, à vos yeux, chacune à son rang, la font avancer dans son ensemble* (*comme une armée*). M. Jean Martin dans la collection Budé (1998) traduit : *elle n'est pas rehaussée d'une série continue d'étoiles qui la dessineraient clairement toute entière*.

55 Transition avec le mythe de la constellation suivante : Cassiopée eut l'audace de comparer sa beauté à celle des Néréides. Cette *hybris* fut punie par l'arrivée d'un monstre dévastateur dont la fureur ne fut apaisée que par le sacrifice de la fille de Cassiopée, Andromède, qu'on livra au monstre en l'attachant à un rocher marin.

56 Andromède est évoquée dans les v. 197 à 204 d'Aratos.

57 Le Cheval est évoqué dans les v. 205-224 d'Aratos.

PAGE 71

58 Traduction du nom *Hippocrène*. Aratos évoque ici la légende bien connue de cette source consacrée aux Muses ; Belleau, comme lui, ne nomme pas Pégase. Tout ce passage reproduit les clichés évoquant l'inspiration poétique : l'Hélicon, mont des Muses, Thespies, la bourgade située au pied du mont.

59 Le Bélier est évoqué dans les v. 225 à 232 d'Aratos.

PAGE 72

60 Notation psychologique introduite par le Français, peut-être d'après la traduction de 1535, *triste simulacrum*.

61 Le Delta est évoqué dans les v. 233 à 238 d'Aratos. *Deltôton* est la transcription du grec.

62 Il semblerait que Belleau ait commis une faute de construction : Aratos dit au v. 237 : *il est plus bellement étoilé que beaucoup* [sans préciser] ; puis, au vers suivant : *les étoiles* du Bélier *sont un peu plus au sud*.

63 Les Poissons et le Nœud sont évoqués dans les v. 239 à 247 d'Aratos. Belleau introduit, peut-être d'après Germanicus (*gemini Pisces*), l'épithète évoquant la figure traditionnelle de la constellation dont il va décrire la structure.

64 Le grec dit : « il perçoit mieux le déclenchement du bruit de Borée quand il s'abat ».

65 Belleau lit un texte qui porte « hypouraïon » (sous la queue) ; une autre version, plus difficile à interpréter, mentionne le « Nœud du ciel inférieur » (« hypouranion »). Il s'agit de l'étoile *a* des Poissons.

PAGE 73

66 Voir ci-dessus, v. 389 et suiv.

67 Est voisin de l'épaule d'Andromède.

68 Persée est évoqué dans les v. 248 à 253 d'Aratos.

69 Adjectif attribut : Persée est plus grand que les autres figures célestes.

70 Persée est né de l'union de Jupiter et de Danaé. Le Français pouvait difficilement ne pas gloser le Grec, qui écrit : « dans Zeus père » (traduction de 1535 : *in Dio patre*) ; de même plus bas, v. 486, Aratos dit : « a disparu hors de Zeus » ; v. 512 : « la course de Zeus », etc.

71 Les Pléiades sont évoquées dans les v. 254 à 267 d'Aratos.

72 Le Grec incitait le Français à changer l'ordre des noms en lui offrant une rime riche.

73 Ce distique, qui redouble l'idée exprimée dans les v. 484-487, est une interpolation de Belleau.

74 On notera que l'idée d'évoquer le nom que la critique a donné au groupe formé par Ronsard et six de ses amis n'a pas ici effleuré Belleau.

PAGE 74

75 Cette notation du travail saisonnier signalé par les Pléiades diffère du pronostic météorologique lié à la même constellation dans la suite du poème (voir ci-après, V-2, v. 43).

76 La Lyre est évoquée dans les v. 268 à 281 d'Aratos. Hermès était le fils de Zeus et de l'aînée des Pléiades, ce qui explique peut-être la mention de son berceau chez Aratos ; en effet, la légende la plus courante ne situe pas l'épisode au moment de la petite enfance d'Hermès : c'est après avoir volé le troupeau d'Admète que le jeune dieu aurait trouvé la tortue dont il adapta sur la carapace vide des cordes fabriquées avec les boyaux des bœufs. Ce fut la première lyre. Cf. la note de M. M. Fontaine dans notre t. I, p. 191, n. 3.

77 L'Oiseau est évoqué dans les v. 282 à 286 d'Aratos, qui ne parle pas de Cygne ; ce sont les mythographes, les traductions et les sous-titres des éditions qui ont apporté cette précision.

78 Ces notions de couleur, de bigarrure – d'ailleurs étranges pour un cygne – ne figurent pas dans le grec, non plus que le brun de la brume.

79 Le grec écrit « le bond du Cheval ».

PAGE 75

80 Ces quatre vers et les deux suivants correspondent à cinq vers d'Aratos.

81 Le Capricorne est évoqué dans les v. 287 à 299 d'Aratos.

82 Le grec se contente d'un comparatif : « un froid plus mauvais ». Ces tempêtes correspondent à celle du solstice de décembre, qui avait lieu sous le signe du Capricorne à l'époque d'Aratos.

83 Traduction littérale ; comprendre : « tombe du ciel ».

84 On a noté que Belleau a le sens de la couleur ; le grec emploie le verbe *porphyreïn* qui signifie « bouillonner », mais qui peut aussi avoir le sens de « s'empourprer ». Belleau a pu lire *nigrescit* dans la traduction de 1535. Ses vaisseaux sont *creux* comme chez Homère, mais non pas chez Aratos.

85 Le nom évocateur de ces palmipèdes des régions septentrionales fournit un équivalent intéressant aux « mouettes plongeuses » du grec.

86 Un morceau de planche.

87 Le grec n'évoque pas de divinité pour désigner la mer. Cf. plus bas, XIX –2, v. 39.

88 Le Sagittaire est évoqué dans les v. 300 à 311 d'Aratos.

PAGE 76

89 Belleau amplifie considérablement les sobres mises en garde du poète grec.

90 Aratos précise « une *autre* Flèche » (en référence au Sagittaire).

91 Belleau renonce à traduire deux vers et demi évoquant l'Aigle (v. 313-315).

92 Le français amplifie, notamment en jouant sur la métaphore des prunelles, trois vers grecs. Sur la légende d'Orion, voir notre t. I, p. 93, v. 13.

93 Le grec n'est guère plus clair, qui signale quatre prunelles qui tombent parallèlement deux à deux ; la localisation que leur attribue Belleau concerne en fait l'ensemble des constellations qui viennent d'être citées : depuis quelques vers, le traducteur s'est esssoufflé et ne fournit plus que des approximations, une ébauche qu'il n'a pas mise au point.

PAGE 77

94 Il s'agit du zodiaque. Cette localisation ne devrait pas concerner seulement Orion (auquel le grec consacre les v. 322-325), mais l'ensemble des constellations qui vont être énumérées.

95 Trois vers se suivent avec la même rime masculine, indice d'un travail inachevé.

96 Le grec exprime une éventualité : « il ne faut pas espérer contempler *des* figures plus insignes ». Les v. 588-590 ci-après aggravent la présente interprétation en remplaçant par des nuances colorées les notations lumineuses du grec, qui confirme que le Chien présente des zones sombres.

97 Aratos décrit le Chien et Sirius dans les v. 326-337.

98 Evoqué dans les v. 338-341 d'Aratos.

PAGE 78

99 Il s'agit du coucher des constellations.

100 On ne sait pas si Belleau a traduit la section relative à la nef Argô.

LES PROGNOSTIQUES ET PRESAGES D'ARAT

1 Belleau fait une nette différence entre le texte des immuables *Phénomènes* cosmiques et les vers consacrés aux conséquences dans le monde sublunaire de leurs mouvements et de leurs apparences.

2 La traduction reprend au v. 733 d'Aratos, et poursuit jusqu'au v. 777, à l'endroit où Belleau, en 1572, avait commencé les « Apparances de la Lune », dont le début correspond aux v. 778 à 818 du grec. Voir dans notre t. IV les notes de la pièce BXI.

3 Le premier quartier détermine le début du mois lunaire.

4 Aratos est plus clair : « par sa face pleine, elle marque le milieu du mois ».

5 Introduit une proposition interrogative indirecte : elle montre *quel quantième* du mois apparaît.

6 Le grec dit : « l'hiver, saison des tempêtes », ce qui fait allusion au calendrier et non à des pronostics météorologiques ponctuels.

7 En grec : « le redoutable Arcture » ; cf. ci-dessus, *Apparences celestes*, v. 167-172.

8 Sur cette expression, voir Glossaire et t. IV, pièce BX, v. 42.

PAGE 79

9 Aratos évoque la façon dont le mouvement diurne du soleil interfère avec son mouvement annuel.

10 C'est le nombre de tours qu'accomplit annuellement le soleil dans son cheminement sur l'écliptique.

11 Traduction littérale de *eskhaton Oriôna* ; nous dirions « les confins d'Orion ». Aratos définit le mouvement des jours pendant l'année : le lever de la Ceinture d'Orion marque l'intersection de l'écliptique et de l'équateur ; le lever des dernières étoiles d'Orion signale le solstice d'été.

12 Le grec dit simplement : *son chien audacieux*. Les poèmes de Belleau ont toujours marqué une certaine crainte des chaleurs estivales. Sur la canicule, voir la note de M. M. Fontaine dans notre t. I, p. 191, n. 12.

13 Les hommes sont invités à étudier le lever et le coucher des astres pour déterminer les saisons favorables aux travaux des paysans et à la navigation.

14 C'est ici qu'Aratos terminait la section des *Phénomènes* relative aux signes réguliers, constitués en fait par l'invariable combinaison du mouvement annuel du soleil avec le mouvement des étoiles.

15 L'introduction aux présages météorologiques se concentre sur les dangers de la navigation.

16 Complément de moyen du verbe *prevoir* : *grâce à* une vigilance experte.

17 Le grec est plus logique : *en effet*.

18 Développe la locution conjonctive : *quelque fois ... que*.

19 Le *troisième* en grec. On a déjà vu avec les Apparences de la Lune dans *La Bergerie* l'importance qu'il y a à déterminer la durée et les intervalles des phénomènes.

20 Telle était la leçon des *Pronostications* de Rabelais ou des *Hymnes* du Ciel et des Astres chez Ronsard. La technique du pronostic ne doit pas être séparée d'une conception de la Providence. Ces 9 vers de Belleau développent 4 v. et demi d'Aratos.

PAGE 80

21 En 1578, les éditeurs de Belleau ont employé la méthode qui sera celle de Laumonier pour les *Œuvres* de Ronsard, puis la nôtre pour la présente édition. La traduction va reprendre au v. 1036, là où *La Bergerie* l'avait laissée. Le présent paragraphe correspond aux v. 1036-1043.

22 Voir au t. IV, *Apparances de la Lune* (BXI), v. 175-177. Belleau avait vraisemblablement commencé à traduire la suite du poème d'Aratos quand il en a donné des fragments pour *La Bergerie* de 1572.

23 Développement de la métonymie grecque (v. 1046) : le paysan craint que l'*été* ne lui glisse dans les doigts.

PAGE 81

24 En 8 vers, cette plante a changé de sexe. Le grec consacre les v. 1051-1059 aux saisons du lentisque et les v. 1060-1063 à la scille.

25 Le grec ne signale pas cette opposition de couleur. Le sexe du lentisque varie selon les nécessités du mètre.

26 Ce pronostic météorologique diffère de la notation saisonnière signalée dans le ciel des fixes par les Pléiades (voir ci-avant, V-1, v. 495 et suiv.).

27 Cette météorologie est fondée sur l'analogie : le microcosme des guêpes s'organise en un cyclone avant que les masses de l'air se mettent en mouvement. De même, plus loin, les chaleurs tardives des femelles présagent un long été.

28 Les 11 vers suivants traduisent les v. 1068-1074.

29 Le grec *okhè* peut signifier *nourriture* ou *saillie*; cette seconde interprétation serait plus cohérente avec l'évocation (qui va suivre) de comportements qui, de nos jours, passent encore pour être signes d'orage.

PAGE 82

30 Ce paragraphe traduit les v. 1075-1081 en insistant sur les analogies entre le monde animal et les météores.

31 Les 8 vers suivants développent les v. 1091-1093 du grec. Sur le regard, maléfique ou non, des comètes, voir Baïf, *Premier des Meteores*, v. 749-816.

PAGE 83

32 Cf., au t. IV, les *canars insulans* des *Apparances de la Lune*, v. 172. Le paragraphe relatif au retour des oiseaux migrateurs occupe les v. 1094-1100 d'Aratos.

33 La grec distingue nettement combats de béliers et combats d'agneaux (v. 1107 : *alloi... alloi*).

PAGE 84

34 Ici, Aratos répète la notion de présage ; il consacre aux bovins les v. 1113-1121.

35 Le grec signale un feuillage épineux.

36 Il s'agit des hommes de l'ancien temps (v. 1134 : *palaioteroi anthrôpoi*).

37 Voir le Glossaire.

PAGE 85

38 Belleau apporte cette précision (v. 1140) sans doute parce qu'il est peu vraisemblable que des souris se laissent aussi facilement observer.

39 La conclusion d'Aratos occupe les v. 1141 à 1154 du poème.

40 Le grec est plus clair : pendant les 8 jours correspondant à la nouvelle lune, l'éther est plus inconstant.

TEXTES POSTHUMES

PAGE 89

1 Allusion au genre du Baiser, où, effectivement, Belleau a mille fois excellé. Ici il reprend les images pindariques mises en faveur par le jeune Ronsard : le style du baiser est authentiquement *lyrique* ; il rompt avec le prosaïsme de la conversation. Cette variation en mineur sur un thème où il a réussi, permet au poète de s'expliquer sur son art.

2 Le poète avait déjà noté, assez cruellement, les ravages de la maladie sur la beauté de sa dame (voir t. V, XIV -6).

3   Sur ce sucre, cette tempête de feux et de parfums déchaînés par le baiser, voir, par ex., t. IV, *Bergerie*, Sec. Journée, XV -19, 20, 40, etc.

4   Sur l'importance de la voix dans le Baiser, voir *ibid*, p. ex. XV -4 et Introduction.

PAGE 90

5   Sur cette fiction, voir p. ex. *ibid.*, XV -16.

6   Venus a hérité de la beauté de la Dame, qui est la Beauté même. Elle veut donc profiter de la défaillance de celle-ci.

7   On pense à la célèbre *Mort d'Adonis* du Rosso dans la grande galerie de Fontainebleau (5ᵉ travée sud). Pour traiter ce thème, poètes et peintres s'inspiraient notamment de l'*Idylle XV* de Théocrite, *Les Syracusaines*, v. 100-144 (« Thrène de la fille de l'Argienne »), particulièrement admirée par Belleau (*Commentaire des* Amours de *Ronsard*, éd. cit., f° 55).

PAGE 91

8   Le corail se présente souvent sous la forme d'une partie de branche et d'un rameau recourbé. D'où l'assimilation aux lèvres.

9   Ajectif substantivé à la mode de la Pléiade.

10 Jeu verbal dont le sens n'est pas clair.

1   Déclaration démentie par d'autres poèmes (Cf. t. IV, XV -27, 44, etc). – Encore des vers contre l'amour, mais pièce originale par le tableau très précis des modes de séduction, utilisés par les femmes.

PAGE 92

2   Comme dans la pièce précédente, Belleau évoque des motifs familiers sur le mode négatif.

3   Sur ces menus cadeaux, imaginés dans la tradition des *strambotti* italiens et des Bergeries, voir t. IV, XV -48-49. Selon H. Estienne, *faveur* peut désigner une bague, un cordon, un ruban (voir v. 15 ss.), une écharpe. C'est le cas ici, à cause de l'adj. *colorée.*

4   En contradiction avec la fin de la section des *Baisers* du t. IV (9 sonnets sur les yeux).

PAGE 93

5   Ce n'est plus l'opposition *Beauté-Vertu,* mais celle de *Cruauté-Vertu.*

6   Les Muses, avec peut-être une allusion au salon de Mme de Retz, car on peut lire dans l'*Album de la Maréchale* (f° 62) : « La troupe des neuf sœurs est tousjours auprès d'elle » (Lavaud, *Ph. Desportes*, p. 88).

7   Sur cette énigme, voir le t. V, dans les *Pierres Precieuses,* le poème consacré à la Perle, d'après Pline.

PAGE 94

8   Vieillesse et Amour ne vont pas ensemble. Belleau l'a appris à ses dépens. Il en parlera dans plusieurs des sonnets qui suivent. – *son poinct* (v. 72) = sa cible.

1   Le titre et notamment sa fin (*d'une* maistresse) laisse à penser qu'il ne s'agit pas de celle du poète. Est-il alors permis de supposer que cette complainte inédite a été offerte à un personnage important ? On a découvert que les vers de Ronsard, regroupés sous le titre *Sur la mort de Marie* (et publiés en 1578) n'évoquaient pas la jeune Angevine, mais la princesse Marie de Clèves, que le futur Henri III aima à la folie. Le duc d'Anjou devint roi de France au moment de sa mort, le 30 oct. 1574. Les poètes lui célébrèrent son immense douleur, notamment le Vendômois, Desportes, Jamyn et Passerat, tous des amis de Belleau (Lm XVII[2], p. 115).

2   Ces arbres annoncent le cadre des rencontres des deux amants, dans la fraîcheur d'une grotte. A noter que Ronsard a fait l'éloge de la grotte que le Cardinal Charles de Lorraine avait fait construire près de son château de Meudon, une sorte d'annexe, « l'hostellerie des neuf sœurs, les Muses » (Lm IX, p. 81). La mention du *Laurier (sacré)* fait penser aux succès poétiques, mais aussi militaires (or le roi était considéré comme le vainqueur de la bataille de Moncontour).

3   *La Canicule :* sur les bienfaits en été de l'ombre des ormes chevelus, voir le t. II, *La Bergerie* de 1565, p. 76.

4   *refus :* la jeune femme, d'abord sollicitée, se considère comme indigne, puis cède au Prince.

5   Le verbe *se posoit,* après *doucement,* fait penser à une colombe qui atterrit avec grâce et légèreté.

PAGE 95

6   Variation sur le cliché des seins marmoréens. Voir *Bergerie*, t. II, p. 63.

7   Le *nocher* est Charon, le passeur des âmes des morts, qu'il traite sans ménagements.

8   *De ce Royaume* est complément du *bord de l'eau* (v. 4?).

9   Sur la survie idyllique des amants dans l'au-delà, voir la fin de la *Bergerie* de 1572, t. IV, 1ère J., pièce XXXIII.

10   A plusieurs reprises, Belleau a brossé un tableau du paradis (qu'il soit céleste ou terrestre). On retrouve ici des éléments de la fin du *Dictamen : les ruisseaux de lait* (ici au v. 55), un climat tempéré (v. 59 ss.). Au v. 57 le *chapelet* pourrait désigner une danse en rond (*autour des myrtes*), ou alors le mot a le sens de couronnes de fleurs, que les danseurs *composent* et portent sur leur tête pendant la danse.

PAGE 96

11   On songe au célèbre tableau de Botticelli. Selon Ovide, Flore, déesse de la floraison printanière, était l'épouse de Zéphir ; elle aurait donné à Junon la fleur qui lui permit d'engendrer Mars.

12 *Lauriers* est ici au pluriel. L'amant va renoncer à sa gloire militaire et au pouvoir royal (s'il s'agit d'Henri III) et rejoindre la morte (v. 80 ss.). A rapprocher des vers de Ronsard *Sur la mort de Marie,* inspirés de Pétrarque (Lm XVII², p. 116) : *Pren courage mon ame, il faut suivre sa fin / Je l'entens dans le ciel comme elle nous appelle* (v. 12-13).

1 Ces conseils de sagesse épicurienne s'inspirent d'Horace (p. ex. les *Odes* 3, 10 et 11 du L. II ou la *Satire* I du L. I). Ils font aussi écho à la traduction de l'Ecclesiaste, publiée par Belleau en 1576, à savoir : goûtons les plaisir simples et fugitifs de la vie quotidienne.

Cette strophe et la suivante jouent sur la double allégorie du vent, air sans consistance ou souffle dévastateur.

PAGE 97

2 *en avoir* : locution toute faite, avoir du bien. Ce vers et le suivant sont à rapprocher des v. 133-34 du *Coral* de 1576 (voir notre t. V) : *Mesme celuy, qui court fortune / Dessus les vagues de Neptune...*

3 Peut-être une allusion aux voleurs ou aux soldats ivres de butin, imitant les reîtres allemands, décrits dans le *Dictamen.*

4 Cette strophe et la suivante jouent sur la double allégorie du vent, air sans consistance ou souffle dévastateur.

5 Sans doute une attaque contre les courtisans trop ambitieux et trop bavards, qui tombent en disgrâce.

6 *mettre en cervelle* = mettre en émoi, dans l'inquiétude, l'embarras. Selon H. Estienne, c'est un italianisme, *stare in cervello.*

PAGE 98

1 L'offrande d'un modeste don était un thème cher aux poètes italiens, imités par les marotistes.

2 La fleur qui se fane et tombe symbolise la venue rapide de la vieillesse et de la mort.

3 Développement de ton horacien et ronsardien inattendu : le mercredi des cendres incite à considérer la brièveté de la vie sur le ton des prières de Job (voir t. IV, 1ère J., pièce I) et non sur celui du *Carpe diem.*

4 L'évocation de la Parque ne détonne pas dans cette pièce consacrée au début du Carême chrétien, car elle n'est qu'une allégorie de la mort. Mais l'insensibilité *post mortem* n'est pas un thème particulièrement religieux.

PAGE 99

5 Ronsard a écrit un sonnet sur le même sujet, dans le ton des strambottistes. Hélène doit en effet prendre les cendres dans son cœur, qu'elle a fait entièrement brûler (Lm XVII², p. 250).

1   Cette notation topographique apporte une variante dans la suite conventionnelle des motifs accumulés dans le genre du Baiser. Il se peut cependant qu'elle ait un rapport avec le vécu du poète. Il est question, en effet, aux v. 5 et 7 d'un *cabinet*. Ce terme peut désigner une pièce, réservée aux intimes, mais aussi un cabinet de verdure, dans le jardin d'une maison, comme l'Hôtel de Dampierre, hors les murs. L'existence de cet enclos est attestée au f° 62 de l'*Album de la Marechale* : *Si ont-elles <les intimes> leur siege plus certain / Dans un beau cabinet enrichy de verdure, / Cabinet de Dictynne* <l'un des surnoms de Mme de Retz>.

2   L'amant, qui vient d'échanger les premiers baisers, se plaint des difficultés de telles rencontres, à cause des nombreuses *fenestres ouvertes*, d'où l'on peut les voir. C'est bien de là aussi que la *damoiselle*, qui avait semé des graines (t. V, VI - 5), les *œillade humainement / Au matin quand elle s'habille* (v. 18-19).

3   *soulager nos pertes* = réduire le temps perdu pour l'amour.

1   Ce très beau poème a pour source en plusieurs endroits Pontano (*Hymnus in noctem*). Mais J. Vianey, en 1901 (voir Lm I, 257) a montré que Belleau s'était inspiré d'une élégie de l'Arioste (*Rime*, capit. VI), *O più il giorno a me lucida e chiara*, qui est en fait une contamination d'Ovide et de Properce. Et Laumonier ajoute : cette élégie « a été entièrement traduite par R. Belleau ». Il est vrai que l'Arioste évoque la nuit noire, qui favorise l'entreprise amoureuse, la porte qui s'ouvre doucement et permet à l'amant d'aller étreindre sa dame, la chambre où a lieu la rencontre, la lumière qui éclaire la beauté de la jeune femme, le plaisir qu'ils ont ensemble. Tout cela est dit avec une grâce et une délicatesse qui autorisent la crudité de l'expression.

PAGE 100

2   La Nature elle-même favorise les amants : les étoiles baissent leur lumière, mais si l'ombre est là, cette Nuit sera éclatante pour le poète.

3   Le Sommeil va envahir les voisins (*la troupe lassée*), qui ne les verront pas.

4   Chacune des six strophes comporte 16 vers : 8 décasyllabes + 6 octosyllabes, avec 2 trisyllabes intercalés et enfin 4 octosyllabes, le tout en rimes plates. *Dans la Bergerie* de 1572, 2e J. (t. IV), se trouvent des strophes de 16 v., soit en octosyllabes (*Voicy l'aronde passagere*, B- VI), soit en heptasyllabes (*M'amour si je suis noirette*, B -XXII), avec rimes plates et embrassées. Ainsi Belleau innove ici, en composant des strophes de longueur semblable, mais hétérométriques.

5   La *Porte*, qui n'est pas fermée, est complice aussi – *sans parler* = sans qu'elle grince, plutôt que « sans qu'il lui adresse la parole ».

6   La chambre n'est pas grande et elle est bien protégée (*asseurée*).

PAGE 101

7   Comparaison souvent utilisée par Belleau et ses amis, et héritée des poètes grecs et latins. A noter l'emploi très fréquent de *doux* et *douceur*.

8   Quand le Phénix va mourir, il construit un nid à l'aide de plantes odorantes et y finit sa vie, brûlé au milieu de parfums (Ovide, *Mét.*, XV, v. 392 ss.).

9   Ronsard avait déjà célébré son *lict*, en utilisant aussi l'Arioste (Lm I, p. 257) – *secretaire* = confident, qui gardera le secret.

10 Comme pour les élégiaques latins, la présence d'une lumière tamisée est indispensable pour la contemplation de la belle endormie.

PAGE 102

11 Description traditionnelle, sauvée par le moule rythmique mélodieux.

12 Comme souvent chez Belleau, une cassure (voir p. ex. la fin de la *Bergerie* de 1565). Pourquoi ce grand bonheur disparaît-il si vite ?

13 *Aurore* aimait le jeune et beau Tithon, qui, promu immortel, devint un vieillard décati. En 1565, elle l'avait quitté pour aller retouver le beau Céphale, évoqué ici.

PAGE 103

1   On aborde ici, et dans le sonnet suivant, un autre genre, celui du portrait d'une femme qui ne s'en laisse pas conter par un séducteur patenté. Par leur vivacité et par leur comique, ces vers rappellent *Les Cornes* et *La Cloche* (t. V, VI -2 et XIV -5). L'habileté du poète est de suggérer un dialogue entre la dame et un interlocuteur muet, mais dont les paroles sont évoquées par elle – *Bran* (dont l'un des sens est « excrément ») devient une interjection de mépris. « Pouah » semble convenir.

2   Cette femme ne paraît pas de haute condition, d'après son langage (*Bran, mauvais tetin, et Anda,* ci-dessous). A noter l'abondance des rimes en i, reproduisant sa voix stridente de colère.

3   Non seulement ce monsieur l'abandonnera, mais il se vantera de sa bonne fortune et fera rire ses amis.

4   Il faut sans doute lier *esperance* et *dame,peur* et *martyre*. La conquête d'une femme est un combat.

1   Ce sonnet constitue le second acte de cette petite comédie. Le séducteur continue sa cour, mais il sera finalement éconduit.

2   Ce *Taisez-vous*, après une simple virgule, est génial. Elle interrompt son propre discours, tout en imposant le silence au séducteur, dont on ignore les propos, révélés par la suite – *estourdie* et avant, *enjollez* indiquent que la dame a été ébranlée par les flatteries, qui sont détaillées dans les vers suivants.

3   Le séducteur l'a appelée « mon *ame,* ma *vie*. », ce qu'elle transforme en « *vostre ame, vostre vie* » etc. Une façon de lui renvoyer ses compliments.

4   Reprise du thème de la mauvaise réputation – *Anda :* sorte de juron ou peut-être tout simplement le mot espagnol, qu'on peut traduire par « Allons ».

PAGE 104

1   Poème anacréontique. Belleau est toujours marqué par sa traduction de 1556. Il en a parsemé son œuvre (voir notamment les *Pierres precieuses,* XIV, le *Jaspe,* ainsi que le IX et le XVI).

2   On aimait alors façonner des couronnes de fleurs pour orner les cheveux ou le chapeau, notamment à l'occasion de fêtes ou de danses – *croistre* (v. 5) = augmenter.

PAGE 105

3   Adonis fut blessé à la cuisse, au cours d'une chasse, par un sanglier et en mourut. C'était, dit-on, une vengeance d'Arès, amant jaloux d'Aphrodite. A rapprocher d'un poème de l'*Album de la Marechale* (f° 126), non signé, mais qui pourrait bien être de Belleau : *Du beau sang d'Adonis on vit naître une rose / Belle, fraische et vermeille ainsi que sa beauté.*

4   Amour crie vengeance (v. 41) et s'il n'est pas aidé, il agira lui-même et punira la jeune femme, en refusant de la rendre amoureuse (pas de flèche dans son coeur). C'est de la grande préciosité.

5   Belle scène d'amour maternel assorti d'une réprimande : il est blessé, il souffre, mais est-ce comparable avec les souffrances fortes et durables dont il accable les amants ? Ici en effet le titre a deux sens : blessure d'Amour et blessure des amants !

PAGE 106

6   Ce fils d'Apollon est Esculape-Asclepios, dieu de la médecine, qui est pourtant bien incapable de guérir de la « maladie d'amour ». – *pointure* (v. 65) = piqûre.

7   Amour, furieux, est parti sans laisser d'adresse. Quand à la *Mignonne* (v. 1). *toute belle*, elle est *humaine*, mais involontairement *cruelle*, car elle ne peut plus aimer. C'est la vengeance du fils de Vénus.

1   Pièce de 9 quatrains octosyllabiques, en rimes plates, mais toutes masculines, ce qui fait son originalité et explique peut-être que le poète ne parle pas de sa *maistresse* et préfère servir l'Amour.

2   Ce vers dit exactement le contraire de ce que Belleau avait affirmé au début de la chanson XIV -2 (voir *supra*). En fait beaucoup de poètes ont traité à la fois des bienfaits de l'amour et des remèdes propre à s'en débarrasser. Ovide est le grand modèle. Ce peut être un jeu littéraire ou une expérience vécue. Déjà dans la *Bergerie* de 1572, la passion de Belleau pour une grande dame est avouée, passion qui finalement ne sera pas payée de retour. Le poète essaie d'oublier, affiche une ferme volonté, mais ne peut tenir sa promesse et cela à plusieurs reprises. C'est la raison de ces incohérences, d'autant qu'en 1578, les poèmes sont parfois présentés pêle-mêle.

PAGE 107

3   On peut se demander si Belleau attribue à d'autres amants les peurs et les désillusions, qu'il a connues lui-même.

4   Le *poinct aymant*, c'est le dernier dans la conquête amoureuse, à savoir la possession physique. Il vient naturellement (*qu'on ne demande point*), après les autres points (paroles, baisers, caresses).

5 Formule traditionnelle pour exprimer un grand bonheur (Cf., *supra, La Nuict,* v. 51-52 : l'amant comblé n'envie pas les dieux et leur nectar).

1 Autre poème hétérométrique, de 9 strophes, dont la structure est la suivante : deux alexandrins+2 vers de 6 syllabes (d'un usage peu fréquent) + un alexandrin. Autres originalités : les 3 derniers vers ont la même rime et les rimes féminines sont absentes.

2 D'après A. Cameron, les 3 premières strophes sont imitées de « La lettre à Bradamante » (*Orlando Furioso,* XLIV, 61, 63, 65) de l'Arioste « The influence of Ariosto's epic and lyric poetry of Ronsard and his group » in *The Johns Hopkins Studies in Romance Literatures and Languages,* vol. XV, Baltimore, 1930, p. 150.

PAGE 108

3 Sur le cœur devenu un rocher, voir G. Demerson, « La Poétique de la Métamorphose chez R. Belleau », p. 137 (in *Poét. de la Mét.,* St Etienne, 1981) : *Que n'estiez vous, Nymphes aux beaux talons / A mon secours, quand dessus vos sablons / Tant de beautez en rocher me changerent* (t. IV, 1ère J., XXIV -6).

4 Violents reproches adressés à l'Amour, que le poète avait encensé au début du poème précédent.

5 Comprendre : *tu ne puis aimer libre* (adj. à valeur d'adverbe = librement), sans doute parce que cette femme est mariée.

PAGE 109

6 Episode classique de la poésie érotique : la lettre compromettante qui doit être rendue ou brûlée (voir, *infra,* le sonnet XV -10).

7 *que n'as.* = que tu ne l'as fait.

1 Le poète crie son désarroi. Un amour non partagé altère la vie d'un homme, le dénature, comme le ferait un poison (Cf. XIV -10, v. 59 : *fielleuse poison*). Ces deux vers, empruntés à Ronsard, ont déjà été utilisés en tête du sonnet XXIV -24 de la Ière J. de la *Bergerie* de 1572 (voir t. IV).

2 Ces quatrains en alexandrins expriment des oppositions, du début jusqu'au v. 24 : d'un côté, les paroles, les attitudes, les sentiments du poète, de l'autre les réactions et le désintérêt de sa maîtresse. Ces oppositions viennent des poètes italiens (Pétrarque et ses disciples). Curieusement, Ronsard les a pratiquement ignorées.

PAGE 110

3 Comprendre : *vous distes que* j'aurais plus d'importance (*de conte*) si je venais vous voir plus souvent (reproche sans doute injustifié !).

4 Clytemnestre, mère d'Oreste, a épousé en secondes noces Agamemnon. Celui-ci lui demanda d'envoyer Iphigénie, leur fille, qui sera sacrifiée à Aulis. Pour se venger la reine et Egisthe, son amant, tuèrent Agamemnon à son retour. Oreste devait venger son père, mais il revint à Argos, déguisé et méconnaissable, pour annoncer sa propre mort. D'où la joie de Clytemnestre, qui se croit impunie, mais qu'Oreste tuera par la suite.

5   Au chant XXIV de l'*Iliade,* Achille rend au vieux Priam le cadavre de son fils, Hector, bien qu'il ait tué Patrocle, son ami. C'est le thème du pardon.

6   Sans doute une amitié amoureuse.

7   Fin pessimiste : ses plaintes sont totalement inutiles, car sans écho. – *reconter le sable :* le compter grain à grain et même le recompter, c'est une mission impossible.

PAGE 111

1   Variation sur le Baiser, pris avec émotion (*La larme à l'œil*) sur la bouche de sa maîtresse malade. A noter des strophes de 5 vers en rimes embrassées, deux féminines entourant trois masculines. Peut-être un symbole de l'étreinte.

2   Comme à son habitude, le poète fait voir (v. 6-7) et entendre (v. 11 ss.). A rapprocher peut-être du sonnet XV -11, *infra,* dont le titre pourrait être « Baiser volé ».

3   Langage militaire pour une conquête amoureuse.

PAGE 112

4   Belleau a pu suivre Ovide (*Fastes,* III, v. 827, éd. B. L., 1982) : « Vous aussi, qui chassez les maladies avec l'art de Phébus (*Phœbea arte*) ». Phébus, vaincu par Erôs, lui céda l'art de guérir.

SONNETS

1   Ce thème de la vieillesse, ici caricaturé, reste une hantise pour le poète ; il sera aussi abordé *infra,* à la fin du XV -3 et même dans le dernier sonnet. – *avancée :* tombante.

2   La ride est profonde, mais tout de même !

3   Belleau a souvent répété qu'Amour ne fréquentait pas les vieillards (voir, *supra,* les v. 66 de XIV-2) – *marquer* est un terme de jeu = marquer le point.

4   On sent la colère du poète, d'où la crudité du terme, qui annonce celle de XV -2.

1   Il s'agit d'une prostituée de basse condition ou d'une vieille femme qui se néglige.

PAGE 113

2   C'est un sonnet ordurier, que le poète a dû composer pour une soirée entre hommes, avec l'ami Nicolas et dont on retrouve certains termes dans *Impuissance,* attribué à Belleau et que Gouverneur a reproduit (t. I, p. 237-39).

1   Thème déjà traité antérieurement par le poète, qui conteste le dicton « Loin des yeux, loin du cœur ».

2   *Qu'elle* = l'absence – *émouvoir* [...] *à vostre obéissance* = pousser à devenir un chevalier servant.

3   Métaphore du feu, utilisée pour l'amour. – *épris :* qui s'enflamme.

4   Formule équivoque : cette *ame* est-ce la sienne, *follement esprise* de son cœur ou celle de sa maîtresse ?

1   Le fait que ce poème apparaît déjà plus haut, dans *La Bergerie*, a échappé à la vigilance des éditeurs qui en ont trouvé une nouvelle copie dans les papiers de leur ami. Si nous comparons le texte de 1572 avec celui de 1578, nous découvrons trois variantes fort intéressantes : – Au v. 7 : travail et *tristesse* devient *rudesse*. – Au v. 14 : rochs *escumeux* devient *sourcilleux* (rime riche). – Au v. 13 : *Nocher* (en principe, Charon) devient *nocher* (marin). Cela tend à prouver que Belleau corrige ses textes en vue d'une grande édition.

PAGE 114

1   *Les astres jumeaux* = les yeux.

2   La situation est grave : l'amant est glacé, blème et devient un rocher (sur cette altération, voir la n. 3 de la *Chanson XIV* -12).

3   Le fossé est creusé. La belle et jeune dame veut se débarrasser de lui.

1   Ce sonnet doit remonter à l'époque, où Belleau s'installait définitivement à Paris et commençait à fréquenter les Salons littéraires.

2   *caresse* = témoignage d'amitié.

3   Le premier point en amour, c'est le fait d'être bien accueilli.

PAGE 115

1   Thème de l'absence, mais traité, en décasyllabes, sous formes de souhaits de bon voyage et d'agréable séjour.

2   Le fait que ce voyage se situe *en hyver* (v. 6) explique les gros soucis météorologiques du poète, peut-être attelé alors à sa traduction d'Aratos. Il parlera, à la fin du sonnet, d'orages, mais d'une autre sorte.

3   A rapprocher du poème, *Election de sa demeure*, où Belleau décrit la maîtresse des lieux, faisant de la broderie, « ayant son passereau mignon » (voir t. V, V -1, v. 105). Les animaux du v. 10 sont, comme celui de la dame, de petits oiseaux de compagnie.

1   Même éloge dans le poème cité ci-dessus (v. 98 ss.) : le poète voit la Princesse sortir de sa maison toute gaillarde / et que d'une alleure mignarde / Semble me dresser les apas / A la cadance de ses pas !

2   *las* désigne les filets, qu'on nommait aussi à l'époque *rets*. <allusion au nom Retz ? >.

3   Inversion à supprimer et à compléter par *de se pouvoir dire hostesse ... d'un grand ...*

PAGE 116

1   Sonnet assez conventionnel, bâti sur des oppositions, qui ne concernent que l'amant.

2   Ce *Soleil* est la femme aimée.

3   Le soupir agace et il lui est donc interdit d'expirer bruyamment.

4   Pour le sens, supprimer l'inversion. La comparaison est tout de même abusive.

5   Opposition classique entre l'accueil glacial et le feu de son amour.

1   Vulcain est forgeron et a besoin sans cesse du feu pour marteler les objets qu'il fabrique. Il était vénéré comme dieu du feu.

2   Sa maîtresse lui a souhaité une bonne année et a ajouté quelques marques d'affection, qui rendent la lettre compromettante.

3   Episode célèbre des amours de Mars (né en Thrace) et de Vénus. Vulcain, le mari (prévenu par le Soleil) avait fabriqué un filet aux mailles si fines qu'elles étaient invisibles (*carquan*). Les dieux, avertis, furent témoins des ébats (voir t. III, *Dictamen*, début, p. 103).

PAGE 117

1   Le titre de ce sonnet pourrait être « Baiser volé » (Cf., *supra, L'amour médecin*).

2   La répétition du mot *force* montre que l'amoureux ne peut se maîtriser.

1   C'est, dans le sonnet XV -6, que l'amant a donné son cœur.

2   Plutôt qu'un cadeau (voir XIV -2) un témoignage d'affection, un baiser.

3   Utilisation de la *correctio*, chère aux élégiaques italiens.

4   Il se donne le mauvais rôle ou, peut-être, il répète ce qu'a dit un prétendu ami.

5   En contradiction avec beaucoup de vers, par ex., le dernier du sonnet précédent.

PAGE 118

1   Les dieux si nombreux des Grecs et des Latins.

2   Allusion presque unique à un amour de jeunesse, révélé, en 1555, par Ronsard (Lm VII, p. 130) : « Et toi, si de ta belle et jeune *Madelon, Belleau, l'amour te point, je te pry, ne l'oublie* (v. 7-8).

3   Belleau devine la réponse de sa maîtresse : vous êtes trop vieux (*hyver, poil grison*).

4   Refrain connu et déjà rencontré (Cf. XV -3) – *bois de saison* = d'âge adulte, c'est à dire coupé depuis longtemps, donc bien sec.

1   Il s'adresse directement à Vénus ; il a renoncé à aimer. Qu'elle le laisse tranquille !

2   Allusion aux amours de sa jeunesse, évoquées dans le sonnet, qui précède.

3   *en querelle* = avec des plaintes.

4   Complément d'objet de <vous> *Vinstes*. – Réalité ou phantasme ?

PAGE 119

1   Le début de ce sonnet ressemble à un autre, publié dans l'éd. de 1573 des *Odes* (t. V, VIII -1), avec l'adresse *à M. M.*, où l'on pourrait retrouver l'initiale de « Madelon » (Dans ce cas, il aurait été écrit bien avant).

2   C'est peut-être ce détail qui a fait écarter ce poème de la publication.

3   Cet hémistiche figure dans le sonnet de 1573, mais au début du premier tercet.

4   Encore une inversion (*escadron de soupirs*) – *eschauguette* = lieu d'où l'on guette.

1   Variation sur le thème de la lettre

2   Comprendre : dans les écrits laissés par des poètes gracs et latins – *dessain* = composition, création.

3   Cf. *La lettre bruslée*, XV -10. Les femmes utilisaient souvent un papier parfumé.

PAGE 120

1   Encore une méchanceté de sa maistresse, mais à tonalité religieuse.

2   Allusion très nette aux guerres de religion (voir, à la fin des inédits, les *Prieres*).

3   Dernier usage des oppositions.

CARTEL DES CHEVALIERS D'AMOUR

1   Sur le genre du Cartel, voir ci-dessus, p. 10-11.

2   Complément du nom *victoire*. Allusion aux *Triomphes* de Pétrarque (cf. plus bas, v. 30).

3   Belleau a constamment exécré le faux amour qui va être décrit dans les vers suivants ; cf. par ex. t. V, pièce n° VI -1 et ci-dessous, XVI–1, p. 145.

4   Sous une apparence banale, ces vers supposent une méditation sur les rapports du nom et de la réalité ; cf. Guillaume de Saint-Thierry, *Méditation sur le Cantique des Cantiques* : « Amour, toi qui donnes ton nom à tout amour, même trivial, même impur »...

PAGE 121

5   Rappel du v. 2 : s'il *vieillit* (= s'il perdure), le faux amour meurt « bien », c. à d. conformément à son être.

6   L'Erôs cosmique était chanté dans les Hymnes néo-platoniciens, rapidement imités par les poètes de la Pléiade ; voir J. du Bellay, *Vers Lyriques*, Ode III, Chm III, 12 et les allusions qui parsèment la pièce XIX –1 ci-après. Sur son origine céleste, voir ci-dessous, XVII –1, v. 35 et par ex. *Bergerie*, Seconde Journée, t. IV, XV- 21 et n. du v. 6,

ou les sarcasmes de J. du Bellay, *A deux Damoyselles* (Chm III, 21) : *Quel est celui qui voudroit taire / Le filz du mari adultere ?*

7   Cf. Ronsard, *Pour le trophée d'Amour, à la comédie* : « Je suis Amour, le grand maistre des Dieux / ... Qui le premier hors de la masse éclos / Donnay lumiere et fendi le Chaos »... (Lm XIII, 218).

8   *violant* : dont l'action est capable de s'opposer aux lois naturelles.

9   La mort est un échange, c. à d. une métamorphose ; ce vers s'oppose aux v. 2 et 14 du paragraphe précédent.

10 = *le faire mourir en l'empêchant de respirer.*

PAGE 122

11   Sur cette expression, voir t. II, p. 28 (Epitaphe de François de Lorraine) et ci-dessous, le troisième Cartel, v. 19 et le quatrième, v. 6.

12   Sur cette expression, voir t. V, pièce VIII – 2. Ce sera le thème directeur du Cartel suivant.

1   C'est la convention ludique qui préside aux Cartels : les chevaliers errants à la recherche de la prouesse apprennent par le plus grand des hasards qu'ils ont l'occasion de mesurer leur valeur et leurs amours à celles d'autres chevaliers. Cf. plus loin, XVI –4, v. 7.

2   Pour ce vers et pour le vers final, voir la note du v. 50 de la pièce précédente.

PAGE 123

1   Cf. ci-dessus, le premier Cartel (XVI –1), v. 5 et suiv.

2   Cf. ci-dessus, le premier Cartel, v. 43.

3   Sur cette expression, cf. *Bergerie*, t. II, p. 28, v. 71 et pièce suivante, v. 5.

4   Cf. t. IV, pièce AIII (*Ixion*), v. 87-88.

5   Ce verbe doit être remarqué : la faculté de jugement a pouvoir de faire dominer la raison et la morale sur les fallaces de la vanité ; ainsi sont préparés les vers de conclusion du présent Cartel.

6   Le verbe est au singulier parce qu'il est régi par l'hendiadyn.

PAGE 124

7   Cf. Rabelais, *Gargantua*, chap. 10.

1   Gouverneur voit en ce chevalier Charles d'Elbeuf (l'ancien élève et jeune patron de Belleau a alors 19 ans) ; il suppose que les tournois que chante Belleau sont organisés à l'occasion du mariage de Marie d'Elbeuf, suggestion que récuse M. -F. Verdier : ce mariage a eu lieu en 1576, c'est-à-dire l'année suivante. Ci-après, le v. 3 n'a pu être écrit que pour un très jeune adolescent, voire un enfant et le v. 8 signale que le tournoi d'apparat a lieu à la Cour.

2   Cf. plus haut, XVI –2, v. 5.

PAGE 125

3 La chevelure de la Belle est un soleil.
4 Cf. plus haut, XVI –1, v. 2.

POESIES DIVERSES

1 Adj. substantivé mis à la mode par la Pléiade.
2 Sur la teneur de ces deux vers, et sur la rime, voir dans la Première Journée de *La Bergerie* de 1572 la *Chanson* de Contr'amour (t. IV, AXXXI, v. 67-68).
3 Il se souvient d'Anacréon ; cf. t. I, p. 115, pièce XLV, v. 8.
4 = *Les jambes* empêchées *par les fractures et les tortures.*
5 Sur le motif du piège d'Amour, cf. plus haut, XVI –1, v. 11. La pièce actuelle est construite sur l'inclusion rhétorique de ce motif : voir ci-dessous, v. 98.

PAGE 126

6 Sanctuaires d'Aphrodite. Cf. t. IV, pièce BXV -46, v. 12. Les poètes de la Pléiade adoptaient volontiers, notamment pour la commodité de la rime, la forme accusative des noms propres en *–os* comme *Paphos.*
7 Parallèle avec « du ciel » : il s'agit des Enfers. Belleau n'est plus attiré, comme dans la pièce XXXIII de la Première Journée de *La Bergerie*, par les charmes des amours aux Champs Elyséens.
8 Belleau a volontiers illustré ces *bayes.* Ces volées de flèches d'or, qui s'écrasent sur le roc d'un cœur devenu inflexible parce qu'il a été frappé par la flèche de plomb, ont sillonné ses vers amoureux (voir par ex. t. V, *Election de sa demeure*, v. 65-68). Sur ce type de palinodie ironique concernant les clichés développés par l'auteur lui-même, voir J. du Bellay, *Contre les Petrarquistes*, Chm. V, 69.
9 Développement sarcastique du motif énoncé aux v. 21 et 22. Sur ce cliché, dont l'origine ancienne est oubliée (Hésiode, *Théogonie*, v. 120 et suiv.), cf. par ex. « Le Jaspe », t. V, pièce XVI -14, v. 7.
10 Sur cette notation picturale, voir par ex. t. V, *Discours de la Vanité*, chap. I, v. 92. Sur la généalogie d'Amour, voir ci-dessus, XVI –1, n. du v. 15.
11 Allusion d'esprit lucianique aux diverses métamorphoses animales qui déshonorèrent Jupiter (ici pour séduire Léda et Europe) ; cf. t. I, p. 107, XXXV ; p. 157, v. 25-26 ; t. V, *Les Cornes*, v. 27 et suiv., ou J. du Bellay, *A deux Damoyselles* : ... *qui est celui que n'atteint / La plainte de la belle vache ?*
12 Périphrase grecque pour désigner le ciel (*Iliade*, 4, v. 44 ; Hésiode, *Théogonie*, v. 127, etc.).

13 Vulcain-Héphaïstos est effectivement un Olympien. Sur le ridicule du désir qu'il conçut pour Minerve et de son mariage avec Vénus, voir G. Demerson, « Entre ciel et terre : Vulcain chez Rabelais » in *Figures du Volcan à la Renaissance*, p. p. Dominique Bertrand, à paraître.

14 Hercule, fils d'Amphitryon, s'est fait esclave de son cousin Eurysthée.

15 Non seulement le poète exploite le ridicule des aventures des dieux mais il évoque sur le ton du ressentiment le thème néo-platonicien de la puissance cosmique de l'Amour (cf. Pontano, *De Amoris Dominatu*, Marulle, *Hymn*. I, III, Ronsard, Lm XIII, 218, *Trophée d'Amour : Je suis Amour, le grand maistre des Dieux / Je suis celuy qui fait mouvoir les cieux...*, ou Belleau, *Bergerie*, Premiere Journée, t. IV, pièce VI, *May*).

16 Pour les Phorcides, voir *Le Coral*, t. V, XVI –8, v. 56 ; les poètes de la Pléiade ne les considéraient pas comme des monstres : Ronsard les assimile aux Néréides de Catulle (Lm X, 267). Sur les feux d'amour qui touchent les êtres marins, voir par ex. *Bergerie*, t. IV, *May*, v. 66.

17 Cf. plus haut, XVI –1, v. 27 et suiv.

18 La chaîne cosmique qui assure la cohésion de l'Univers est un attribut essentiel de l'Amour néo-platonicien (cf. G. Demerson, *Mythologie de la Pléiade*, p. 167 ; 545) ; on retrouve ce thème par ex. dans *L'Aymant*, t. V, XVI –3, v. 203 et suiv.

19 A partir d'ici, l'exécration philosophique et cosmique se transforme en répudiation de l'image de la Belle et en palinodie : les clichés mignards chers à Belleau sont ridiculisés (p. ex. les *évantillons* et les *crespillons* de t. IV, pièce BXV -43, v. 9-10).

20 La description qui suit compose, pour la détester, une synthèse des beautés d'Alcine (*Orl. Fur.* VII, 11-13 et 15-16) et de celles d'Olympia (*Orl. Fur.* XI, 65-71).

21 A l'éclat noir comme l'ébène ; le *Chant des Nymphes de la Seine* développe la métaphore : « C'est une voute ébenine / Le croissant de son sourcil » (t. II, p. 50, v. 139-140).

22 C'est ce que pensaient par ex. les Chevaliers du Cartel ci-dessus (XVI –1), v. 15 et suiv.

23 Cf. Ronsard, Lm V, 52 : *le ventre d'un nuau*.

24 Référence au mythe néo-platonicien du lien d'Hermaphrodite.

25 Sur ce navrant suicide, voir Ovide, *Métam.* IV, 55 et suiv. et Baïf, M-L II, 165-182. Ces *exempla* tirés des suicides de la mythologie sont ici pour Belleau des témoignages de vertu, alors qu'ils démontrent ordinairement la malice du destin ou la folie de la passion (voir p. ex. Jodelle, éd. Balmas, I, 331 : *Les Iphis et les Phyllis / Tous prests à se pendre... Comme Narcisse expirer, / Comme Didon se tirer / Par glaive le*

double feu / D'amour et de vie. / C'est en leur feint et fou jeu / Leur commune envie).
Pour la référence à ces couples mythologiques, voir les *Héroïdes* d'Ovide, la *Canz.* 61 et
le *Son.* 63 de Sannazar, Scève, *Délie*, d. 126, etc.

26 Cf. Ovide, *Héroïde* II : Démophon, fils de Thésée, avait promis le mariage à
Phyllis, fille du roi qui l'avait recueilli quand il avait fait naufrage sur la côte de Thrace ;
mais comme, au jour fixé, il n'était pas revenu d'un voyage à Athènes, Phyllis se pendit.

27 Cf. Ovide, *Héroïde* XV : la poétesse Sapphô se jeta dans les flots du haut de la
falaise de Leucade parce qu'elle était dédaignée par Phaon, passeur de l'île de Lesbos
qu'Aphrodite avait doté d'une éclatante jeunesse.

28 Cf. Ovide, *Héroïdes* XVII et XVIII : Chaque nuit, Léandre traversait
l'Hellespont à la nage pour retrouver Héro, qui le guidait en allumant une lampe au haut
d'une tour. Mais un orage éteignir la lampe, Léandre se noya et Héro se suicida.

PAGE 131

29 Le chant IV de l'*Enéide* est consacré à ce douloureux épisode de la reine
abandonnée par le Troyen, fidèle à sa vocation héroïque.

30 D'amour blessée, Ariane mourut aux bords où elle fut laissée par Thésée.

31 Cf. Ovide, *Métam.* III, 356 et suiv. : désespérée par la mort de Narcisse,
métamorphosé en fleur, la nymphe Echo fut transformée en voix résonnant par les bois
et les monts.

32 C'est au nom de la dignité religieuse de la mission du poète que, pendant tout le
XVIe s., des écrivains s'élevèrent contre les clichés issus essentiellement de la littérature
amoureuse et paganisante ; ainsi Marot détestant « les chansons de ce petit dieu à qui les
peintres font des ailes » (éd. Defaux, t. II, p. 628) ou François Habert, pour une demande
en mariage : *Il ne faut point depaindre ici les traits / De Cupidon en figure pourtraicts, /
Car tout cela n'est que fable et mensonge (Epistres heroïdes*, 1559).

33 Suit une liste de temples et de sites antiques dont aucun, selon Belleau, n'était
consacré à l'Amour ; mais cette liste est fantaisiste : c'est au moyen âge que la Crète a
été appelée Candie ; tout comme Rhodes, elle comportait plusieurs sanctuaires ; Pan,
Séléné et Hermès (sur le mont Cyllène) étaient adorés en Arcadie, et Athéna à Athènes,
Apollon au cap Ténare ; le temple d'Asclépios à Epidaure est célèbre, ainsi que les
oracles d'Apollon à Delphes, Délos et Patara, et ceux de Zeus à Dodone. Diane et
Apollon sont appelés Cynthiens en souvenir de leur origine.

34 Selon les étymologistes antiques, Dodone signifie *glandée.*

35 Variante désinvolte sur le thème des deux flèches d'Amour ; voir t. V, VI–1, n. 13.

36 Cf. t. I, p. 106, pièce XXIII, v. 4.

37 Sanctuaires d'Aphrodite.

PAGE 132

38 Cette conclusion s'inspire de la Lettre de Bradamante (*Orl. Fur.* XLIV, 62-65) ;
voir A. Cameron, « The influence of Ariosto's epic and lyric poetry of Ronsard and his
group » in *The Johns Hopkins Studies in Romance Literatures and Languages*, vol. XV,
Baltimore, 1930, p. 150.

1   Selon Eckhardt (*Belleau*, p. 107), il s'agit de Salomon Certon, Conseiller Notaire et Secrétaire du Roi. Ce jeune juriste (né aux environs de 1550) travaillait à la traduction en français de toutes les œuvres d'Homère, qu'il commença à publier au début du XVIIᵉ s. Lié d'amitié avec Baïf, il consacra surtout ses efforts à la rénovation de la prosodie française. Voir E. Droz, « S. Certon et ses amis. Sa correspondance » in *B. H. R.* II (1942), p. 186-195.

2   Ouverture de sonnet en forme de comparaison ; cf. Ronsard, Lm XVII, 424, *Ainsi qu'au mois d'avril on voit de fleur en fleur…*L'image est dans le style ronsardien des *Amours* dits de Marie (p. ex. Lm IV, 158, *Fauche, garçon, d'une main pilleresse*), et l'idée porte non seulement sur le nombre et la variété des fleurs « à trier » mais sur la couronne (*tortis*) méritée par le poète.

3   Cette seconde comparaison, vulgarisée par les recueils de « lieux communs » remonte à Sénèque (cf. Ann Moss, *Printed Commonplace-Books and the structuring of Renaissance thought*, Oxford, Clarendon Pr., 1996), mais Belleau préserve sa saveur poétique. Cf. Ronsard, sonnet cité ci-dessus, et Lm XI, 161, Lm XV, 252 : *Mon Passerat, je ressemble à l'abeille … J'amasse, trie et choisis le plus beau…*

4   Cf. *Bergerie*, t. IV, pièce AXI, *Vandanges*, v. 48.

PAGE 133

5   Salomon est parangon de sagesse ; le nom d'un être est lié à sa nature (*nomen omen*).

1   Pour aider à la lecture de ce poème, nous proposons la paraphrase suivante :

Tandis que je suce les miels répandus sur tes lèvres dont le parfum se perçoit de loin, et que, la bouche sèche et languide, j'ai la joie de recevoir mon esprit qui s'était enfui, ausitôt transporté, en empereur souverain des habitants des cieux, fièrement parmi les bataillons des dieux, à la même coupe qu'eux, je bois le nectar en hôte du ciel. Mais lorsque avec férocité, la carnassière qui est mon dieu a mordu ma langue qui n'avait pas mérité cela, mon sang se répandant largement à travers mes joues, sur le champ, moi je deviens le plus misérable de tous les amants. Ainsi je vis heureux et aussitôt, par un sort contraire, malheureux.

Ce court Baiser reprend le thème des vers sénaires inspirés de Sapphô (*Bergerie*, t. IV, 2ᵈᵉ Journée, XV −36, *Quand sur ta lèvre*). Il réunit bon nombre des motifs traditionnels du genre : migration de l'âme aspirée par la bouche aimée, lèvres parfumées, mellifères, dispensant le nectar, félicité supérieure à celle des dieux, morsure sanguinolente, souffrance succédant brutalement à la félicité (cf. J. Second, *Bas.* 4 et, plus haut, XIV -1, *De la perte d'un baiser*, XIV -6 et 7, etc.).

2   Terme médical ; voir Pline, *N. H.*, 27, 105.

1   Pour aider à la lecture de ce poème, dont la composition pourrait se situer peu après 1574, nous proposons la paraphrase suivante :

A Pierre de Ronsard, sur la Fontaine Saint-Thibaut// Ton onde argentine qui jase ici aux rives frétillardes, / Et qui luit jaillissant du gazon vif, / Ce n'est pas celle, ô Thibaut, à laquelle tu soulais auparavant/ Etancher une soif que rendaient exquise les ardeurs du soleil : / Elle n'est pas de ces eaux qui soulagent les affections rhumatismales/ Et procurent l'aide de l'art médicinal. / En effet, elle est morte et, cherchant dans sa fuite à retrouver son ancien lit, / Elle a abandonné, en changeant de cours, une terre aride. /La source nouvelle, ici, s'échappe du sommet du mont Parnasse, / Le chœur des Piérides se hâte de la suivre, / Les Nymphes ont émigré, et avec elles a émigré Apollon, / Et maintenant le coin de paysage gît privé de la clarté de la source. / Certes, elle a eu le joli pressentiment de la venue du poète, / L'onde qui coule devant un tombeau. / Si donc les éléments inanimés peuvent suivre Ronsard, / Ne penses-tu pas que l'on pourra ajouter foi à la geste d'Orphée ?

Le Thibaud qui donnait son nom à cette fontaine à proximité des écluses de l'île Saint-Côme ne semble pas être compté parmi les grands saints de l'Eglise. Sur le motif qui fait la pointe de ce texte, voir G. Demerson, « La fuite des Muses » dans *Figures de la Muse*, p. p. M. -D. Legrand, à paraître.

PAGE 134

2   Cf. Ronsard, *Sur la Fontaine qui est au jardin du S. Regnault*, Lm XVIII, 243.

DIALOGUE ET EPITAPHES

1   C'est nous qui donnons un titre à cette section. Sur le genre de l'épitaphe à l'antique, voir Tabourot des Accords, *Bigarrures*, ch. 22, « Des Epitaphes » ; H. Chamard, *Hist. de la Pléiade*, II, p. 74 et suiv. ; Ian D. McFarlane, « The Renaissance Epitaph » in *Mod. Lang. Rev.* 81 -4 (1986).

2   Cette pièce a certainement été placée à cet endroit à cause de sa forme, qui est calquée sur celle de l'Epitaphe : un Passant, représentant le lecteur étonné par une image allégorique, interpelle un interlocuteur chargé de lui en révéler le sens. Sur la portée de ce texte important, voir ci-dessus, p. 12-13.

3   Ce premier distique consiste en la récusation des attributs traditionnels d'Amour, panoplie qui a souvent inspiré Belleau (entre cent exemples, voir *Bergerie*, 2e J., XV –21, XV –46, etc.). Maintenant, à l'allégorisme psychologique de ces armes et de ce panache doré, symbole du triomphe de la passion, va être substitué l'allégorisme spirituel de la couronne.

4   Superlatif : les âmes les plus modérées, celles qui ont la meilleure maîtrise d'elles-mêmes ; l'adj. *modeste* réfère à la Modération, la quatrième des Vertus.

5   Les Vertus cardinales sont Prudence, Force, Justice et Tempérance (ou Modération). Cf. Rémi Brague, « Prudence, prévoyance, providence » in *Communio* 134 (1997), p. 5-14.

6 Les Anciens représentaient Prudence avec un double visage, juvénile et mûr, ce qui correspond à l'intention personnelle du poète ; le célèbre tableau de Raphaël (musée du Vatican) lui adjoint Modération et Force. Sous les Valois, Prudence était la plus célébrée des Vertus : voir A. -M. Lecoq, *François Ier imaginaire*, Paris, Macula, 1987, p. 69-117 ; 211 ; 338 ; 379, etc. ; voir aussi le bijou bellifontain n° 666 dans le catalogue de l'exposition du Grand Palais, *L'Ecole de Fontainebleau*, éd. Musées Nationaux, 1972, ou encore l'estampe de Reverdy (B. N. Est. Ec 33a Rés.).

PAGE 135

1 Louis Béranger, seigneur du Guast en Dauphiné, né vers 1545, a été assassiné le 31 octobre 1575. Compté parmi les « mignons » de Henri III, il aurait commis l'imprudence de révéler la liaison de Marguerite de France avec Bussy d'Amboise. Il avait la sympathie des savants et des écrivains (Ronsard, Baïf, Desportes, Belleau, Dorat) qu'il invitait à de joyeuses agapes. Il était l'ami de Brantôme, qui écrivit son éloge et lui consacra de nombreuses pages. En 1569, Ronsard lui avait dédié une Elégie (Lm XV, 206).

2 Sur Vaillant de Guelle, abbé de Pimpont, voir ci-dessous, Epitaphe d'Anne de Montmorency, et t. V, *Tumulus*, notes de la pièce IV.

3 Némésis le sait, car elle est la déesse de la vengeance.

4 En effet, le marquis du Guast, Couronnel général des troupes du duc d'Alençon, puis Mestre de camp de la garde royale, s'était illustré non seulement lors des massacres de la Saint-Barthélemy, mais aussi au siège de La Rochelle.

5 Construire « qui entraîne [= fait disparaître] tout malheur avec elle ». Ne pas connaître la mort est le supplice par exemple de Tithon condamné à une vieillesse vertigineuse (cf. notre t. I, p. 114, n. 3), ou de Prométhée rongé par l'Aigle (cf. plus bas, v. 27).

6 Les Euménides, déesses de la vengeance ; cf. v. 35.

7 Sur le supplice d'Ixion, voir t. IV, 2de Journée, pièce n° III.

8 Synthèse de plusieurs châtiments divins, où l'on reconnaît ceux de Sisyphe, de Tantale et de Prométhée.

PAGE 136

9 Superlatif : *la plus* cruelle.

10 C'est le supplice que constitue la *Cura edax* horacienne (*Ode* II, XI ; 18).

11 Tisiphone, la Vengeresse du meurtre, est une des trois Erinyes.

12 Mezentius est présenté par Virgile comme un tyran étrusque impie et féroce au combat (*Enéide* VIII, 482 ; X, 689 et suiv.) ; Pérille a inventé le supplice du taureau d'airain à l'usage de Phalaris (Ovide, *Ars Amatoria* I, 653-654).

13 De poix brûlante.

14 Châtiment des parricides à Rome ; ce sac était jeté dans le Tibre.

15 Pimpont se contente de l'auspice. L'originalité de son poème est de ne pas proposer un Tombeau grandiose mais une liturgie intime.

PAGE 137

16 Pimpont cite nommément Henri III.

17 La vie ne tient qu'à un petit fil. Cf. J. du Bellay, *Regrets*, sonnet 118, v. 14.

18 Comme ils le firent pour J. du Bellay, comme ils le feront pour Belleau, les poètes ont porté en terre le corps de leur ami.

19 Hiatus atténué par la césure. Cet assassinat est conté par Brantôme, éd. Lalanne, V, 354 et suiv. ; VI, 333 et suiv.

20 Complément d'agent : *par* une main.

21 Depuis Marot et Ronsard, le *vert laurier* est surtout utilisé pour son feuillage, dont on tresse des couronnes d'immortalité aux poètes. Le Pinde est une montagne consacrée à Apollon et aux Muses sur les frontières de la Thessalie.

22 Sur cette manie des graffiti funéraires, héritée de Properce (*El.* II, XIII, 35-36) et partagée par tous les poètes de la Pléiade, voir p. ex. t. I, p. 250, v. 348.

23 Voir Brantôme, éd. Lalanne, VI, 335.

PAGE 139

1 Sur Pimpont, voir ci-dessus, pièce XVIII –2. Le Connétable de Montmorency (1493 – 12 novembre 1567) mourut deux jours après avoir été blessé à la bataille de Saint-Denis. Il s'était illustré sous tous les rois de France, de Louis XII à Charles IX.

La plaquette *Epitaphes sur le tombeau de haut et puissant seigneur Anne duc de Montmorency ... par J. Dorat .., P. de Ronsard ... et autres doctes Personnages. En diverses langues – Tumulus strenuissimi et piissimi patriæ propugnatoris Annæ Mommorantii ... Io. Aurato ... Auctore* éditée à l'occasion de la mort du Connétable (Paris, G. de Rouille, 1567) ne contient ni le texte latin de l'abbé de Pimpont, ni, à plus forte raison, la traduction de Belleau. Il est vraisemblable que Pimpont n'avait pas terminé à temps son poème, et que les éditeurs de Belleau ont recueilli ici des textes qui n'avaient guère été diffusés en dehors du cercle des familiers de Montmorency.

2 La France surpasse les Anciens aussi bien dans les arts de poésie que dans les armes. Dans l'*Embatêrion* 10, Tyrtée (milieu du VIIe s.) exhorte les jeunes combattants de Sparte à ne pas abandonner dans la mêlée les guerriers à la tête blanche (*Poetæ Lyrici græci*, éd. Bergk, Leipzig, I, 397 et suiv.).

3 Tyrtée a honte de faire appel à sa faiblesse pour adjurer les jeunes à se montrer vaillants. Ronsard s'inspire du même poème dans l'*Exhortation au Camp du Roy* (Lm IX, 9) ; il adresse avant Belleau les vers grecs aux soldats français dans la *Harangue du Duc de Guise* (Lm V, 209) et, sur le mode burlesque, dans la *Folastrie* II (Lm V, 18).

PAGE 140

4 Participe absolu = *quand la France tomba...*

5 L'enjeu de la bataille de Saint-Denis était la prise de Paris.

6   Transposition en termes chrétiens de la coutume romaine de laisser ouverte en temps de guerre la porte du temple de Janus afin que le dieu puisse se mobiliser rapidement en faveur de la Ville. Fermer le temple, c'est reconnaître que règne la paix. Cf. t. V, pièce XV, v. 39-40.

7   Il sera élevé sur le pavois selon la coutume des Francs, parfois adoptée pour de nouveaux empereurs romains.

PAGE 142

1   M. – F. Verdier suppose que ce texte a été rédigé très peu de temps après le décès de François, duc de Guise, et envoyé à la famille. Quoi qu'il en soit, la comparaison de ces 62 vers avec la pièce de 172 vers, également en alexandrins, publiée dans La Bergerie de 1565 (p. 28-32) montre clairement que les éditeurs de Belleau ont trouvé dans ses papiers non pas une ébauche ni même une esquisse, mais un brouillon juxtaposant des thèmes qui ont été soit développés soit abandonnés en 1565. Le lecteur qui aura la curiosité de procéder à une comparaison devra se remémorer la composition particulièrment habile de l'Epitaphe que nous avons publiée au t. II : – A/ v. 1-12 : Ce grand Chevalier fut l'appui de la nation (ici, v. 43-48). – B/ v. 13-34 : notre mort est en la main de Dieu– C^1/ v. 50-68 : François fut un grand soldat (ici, v. 15-20 ; 27-30). – C^2/ v. 69-81 : Il fut un grand chef (ici, v. 7-14). – C^3/ v. 82-120 : Passage épique en chiasme : exploits surhumains ; comparaisons homériques avec Apollon et Hector (ici, v. 33-42 ; 49-52, Achille et Pâris) ; exploits surhumains comparés aux forces naturelles déchaînées. D/ v. 121-138 : L'assassinat par trahison (ici, v. 20-27 ; 31-32). E/ v. 139-170 : L'Epitaphe est un trophée triomphal (ici, au début, v. 1-6). Le présent poème ajoute en conclusion des reproches aux Français, qui risquent de tomber en servitude faute de s'émouvoir de l'assassinat d'un Prince juste.

2   La reprise anaphorique de cet hémistiche donne un équivalent emphatique des premiers vers de l'Epitaphe de 1565 (voir au t. II, la note concernant l'adjectif grand appliqué à Guise).

PAGE 143

3   L'Epitaphe de 1565 n'a pas cette tonalité pacifiste, mais insiste sur les victoires et les conquêtes.

4   D'Orleans, mutiné : Au siège d'Orléans, Guise dirigeait les travaux, et allait triompher lorsque Poltrot de Méré l'abattit d'un coup de pistolet.

5   Voir t. II, p. 30, notes.

6   Construction en inclusion : la mention de la trahison est incluse entre deux éloges du guerrier.

7   Tournure grecque : Achille est le fils du mortel Pélée. Sa mère la déesse Thétis, pour éliminer de son enfant le germe de mortalité, le plongea dans le fleuve infernal du Styx ; mais, pour réaliser cette opération, elle dut le tenir par le talon, qui ne fut donc pas protégé. Selon une certaine légende, Pâris, guidé par Apollon, dirigea sa flèche sur la partie vulnérable de son adversaire.

8   Belleau reproduit avec sérieux le fondement religieux du mythe grec qu'il évoque. La version de 1565 mentionne également le *destin* (p. 31, v. 9), mais en compagnie d'autres abstractions, le *malheur* et l'*envie*, et à la suite d'un préambule qui récuse toute survivance du paganisme antique : « nous sommes non par sort / Mais quant il plaist à Dieu prisonniers de la mort » (p. 26, v. 13-14).

PAGE 144

9   C'est le devin Calchas qui avait appris à Ulysse cette disposition des destins.

PAGE 145

1   *L'un* = l'âme ; *l'autre* = les os. Belleau emploie le neutre singulier dans les deux cas pour désigner les deux éléments d'un même être.

2   Construction en parallèle rappelant l'artifice des « vers rapportés » : chaque complément de nom doit être rapporté au mot qui lui est symétrique dans le vers précédent. Pour un ancien guerrier, le calme d'une retraite heureuse est une victoire sur la mort...

POEMES DE CONCLUSION

1   M. -F. Verdier lit dans ces vers la tristesse de Belleau, fâché de ce que le sentiment qu'il éprouve pour Madame de Retz ne soit pas réciproque : il lui semble, au vu des sonnets lus précédemment, qu'elle se moquait de lui en lui conseillant, étant donné son âge, la prière et la mortification.

2   Sur ce type de concaténation de l'adjectif, voir les analyses d'Y. Giraud, « Peut-on élaborer des critères formels définissant le maniérisme littéraire ? (Le cas des figures d'itération) » dans *Manierismo e Letteratura*, a cura di D. Dalla Valle, Torino, Meynier, 1986, p. 185-209.

3   Cf. ci-dessus, XVII –1, note du v. 16.

PAGE 146

4   Sur cette anadiplose, voir l'article d'Y. Giraud cité plus haut. Allusion au mythe de Prométhée développé dans la 2de Journée de *La Bergerie*, t. IV, pièce II, et christianisé par Belleau d'après saint Paul, Rom. 9, 20 sqq. (cf. Ronsard, Lm IX, 158 et XVII, 40).

5   Complément du nom *entreprise*.

6   Sur cette image rebattue, voir p. ex. *Bergerie*, 2de J., t. IV, XV –42.

1   Il n'est sans doute pas indifférent que la même métaphore termine l'hymne à l'Amour et la prière à Dieu : ce lien symbolise la double postulation de la création poétique de Belleau.

2   Motif constant dans l'Ancien Testament, notamment dans les Psaumes (p. ex.
Ps. 30 : *esto mihi in Deum protectorem / Et in domum refugii ut salvum me facias ; /
Quoniam fortitudo mea et refugium meum es tu….*). La Prière de Belleau est constituée
de centons bibliques.

PAGE 147

3   Motif paulinien par excellence (p. ex. I Cor, 11 et 12 ; Eph. 4 et 5 ; Col. 1 et 2).

4   Motif central de la foi du chrétien (Matt. 6, 9).

5   Ps. 61, 8 : *Spes mea in Deo est* ; cf. Ps. 60, 4 ; Rom. 8, etc.

6   Le thème du culte dû uniquement au Dieu unique est essentiel dans cette prière ;
il réapparaît avec force aux v. 13-14 et 21. Sur une possible influence de la pensée des
Réformés, voir ci-dessus, p. 14.

7   *Servus tuus sum ego*, Ps. 118, 125 ; Ps. 115, 16 : *O Domine, quia ego servus
tuus, / ego servus tuus et filius ancillæ tuæ*, etc.

8   *De cælo respexit Dominus*, Ps. 32, 13.

9   *Au moyen de* centaines d'étoiles.

10   Ps. 138, 16 : *Imperfectum meum viderunt oculi tui.*

11   Ps. 66, 1 ; 27, 4 ; 84, 2 : *Benedixisti, Domine, terram tuam*, etc.

12   Thème constant de l'Ancien Testament : Ps. 36 : *Semen illius in benedictione
erit…*

13   Thème constant des Psaumes : 60, 3 ; 70, 1 ; 77, 7 ; 141, 6, etc.

14   Le long Psaume 118 est consacré à ce thème.

15   *Quia dulcia eloquia tua super mel*, Ps. 118.

16   Parmi les quatre éléments, la terre se caractérise par la solidité. Cf. Ps. 75, 9 :
De cælo auditum fecisti judicium : terra tremuit… Le bouleversement cosmique
provoqué par la présence du Seigneur est un thème constant des Psaumes ; p. ex. Ps. 96,
5 : *Montes sicut cera fluxerunt a facie Domini.*

PAGE 148

17   *Ouy = Et aussi* ; il semble que le motif biblique s'enrichisse d'une allusion à la
scène du lac de Tibériade où Jésus rassure ses disciples en calmant la tempête qui va
faire chavirer la barque (Luc 8, 22-25).

18   Les substantifs mis en valeur par la rime peuvent surprendre dans un poème
biblique (cf. Esaïe, 65, 11 : *Qui ponitis Fortunæ mensam…*) ; mais *Neptune* est une
métonymie, et Fortune représente les destinées dont Dieu est le maître absolu comme
Ronsard l'a rappelé dans l'*Hymne de Fortune*.

19   Allusion au passage de la Mer Rouge par les Juifs poursuivis par les cavaliers
de Pharaon. Belleau procède à la façon du Psalmiste, qui fait de cette manifestation
divine un exemple de la puissance de Yahveh sur le cosmos : Ps. 113 : *Mare vidit et
fugit… Montes exultaverunt ut arietes… A facie Domini mota est terra, / a facie Dei
Jacob, / Qui convertit petram in stagna aquarum*, etc.

20 Ce ne sont pas les astres qui sont maîtres des destins ; cf. Ronsard, *Hymne des Astres*, Lm VIII, 154.

21 Qui aime Dieu et le proclame.

22 Dès l'origine, le chrétien a eu à subir les supplices, le fer ou le feu. C'est un des thèmes principaux dans la conception de l'histoire développée par A. d'Aubigné dans les *Tragiques*.

23 Cf. Luc 12, 7.

24 Ps. 48, 2 : *Audite hæc, omnes gentes...*

25 A partir d'ici, le poète s'inspire de l'Ecriture Sainte pour développer le tableau d'une félicité concurrente de celle que promet le mythe païen de l'âge d'or (p. ex. bénédiction d'Isaac, Genèse 27, 27-29 ou Isaïe 30, 22-26) ; avec les Psaumes, il imagine une récompense terrestre, terre promise que la tradition chrétienne a comprise comme symbolisant la promesse du bonheur éternel.

26 Hébraïsme : la corne est une métaphore de la puissance ; cf. p. ex. Ps. 111, 9 : *Cornu ejus exaltabitur in gloria...*

27 Autre hébraïsme pour désigner une attitude révélatrice ; p. ex. Ps. 11, 9 : *In circuitu impii ambulant.*

PAGE 149

28 Ce tableau de la félicité du juste, fortement inspiré du Psaume 64, est présenté comme le résultat d'une métamorphose ; cf. Ps. 64, 10 et suiv. : *Rivos ejus inebria, multiplica genimina ejus ; / in stillicidiis ejus lætabitur germinans*, etc. Sur la tradition littéraire d'un lieu magnifique reconstituant le Paradis au milieu d'un monde de violence et d'abjection, cf. F. Cornilliat, *Or ne mens*, Paris, Champion, 1994, p. 734.

29 Hébraïsme désignant le cours de la vie ; cf. Ps. 16, 5 : *Perfice gressus mes in semitis tuis.*

30 Cf. Ps. 131, 4 : *Si dedero... palpebris meis dormitationem...*

31 L'image des voies du Seigneur anime le Psaume 24 (v. 4 : *Semitas tuas edoce me* ; v. 9 : *docebit mites vias suas*, etc.).

32 Cet épisode de la traversée du désert par les Israëlites (Exode 13) est évoqué dans le Ps. 98, v. 7 : *In columna nubis loquebatur ad eos...*

33 C'est ainsi que les Psaumes 102, 104 et 105 interprètent la vocation de Moïse confronté aux grandeurs et aux faiblesses de son peuple.

1 Sur ce type de figure, voir p. ex. un Livre d'Heures ayant appartenu à Henri III (manuscrit du début du siècle), musée de Cluny, n° 1812.

2 = *mettre en valeur la renommée* ; cf. plus haut, XV –3, v. 1.

3 La tonalité est tout opposée à celle des v. 101-104 de l'*Oraison contemplative devant le crucifix* de Marot traduisant le bénédictin N. Barthélemy de Loches (éd. Defaux, t. I, p. 62). Ces félicitations peuvent s'adresser à Charles IX après des victoires comme celles de Dreux, Jarnac, Moncontour (on attribuait au Roi les résultats obtenus par ses maréchaux ou par son jeune frère), mais aussi au lendemain de la Saint-Barthélemy.

4   Cf. Ronsard, *Tombeau du Feu Roy*, Lm XVII, 5 : Charles a combattu « pour Dieu, pour l'Eglise, pour la Foy ».

1   Le poète s'adresse au roi comme dans le sonnet précédent.

2   La devise de Charles IX était *Pietate et Justitia*. Ces vers emploient les mêmes symboles et sont de la même tonalité partisane que les « Desseins pour la croix de Gastines de l'invention d'Est. Jodelle ... presentez au Roy en l'an 1569, qui n'eurent point d'effect d'autant que par la paix faite l'an 1570 il fut dit que ladicte croix seroit ostée » (éd. Balmas, I, 302 sqq.).

3   Désillusion de l'humaniste devant la discorde civile : les premiers poèmes de la Brigade ronsardienne chantaient la victoire obtenue en France sur les tenants de l'Ignorance par les rois protecteurs du savoir et de la paix (cf. G. Demerson, *Mythologie de la Pléiade*, p. 127-129 ; 222, etc.).

1   *Quos vult Juppiter perdere, dementat prius.* Les poètes de la Pléiade ont médité sur cette terrible pensée d'Euripide en l'opposant à la clémence du Dieu judéo-chrétien.

2   Image inspirée des Psaumes ; cf. plus haut, XIX –2, v. 2 et suiv.

3   N'exige pas d'autres malheurs ; voir Glossaire.

1   Matthieu 18, 7 : *Necesse est enim ut scandala fiant.*

2   Psaume 32, 12-fin : *Beata gens cujus est Dominus Deus ejus, / populus quem elegit in hereditatem sibi…* ; cf. 94, 7.

GLOSSAIRE

– Ce Glossaire ne relève pas toutes les formations diminutives (*jumelet, mignardelet*...) dont est coutumier Belleau.

REFERENCES

– Les références renvoient au numéro que nous avons attribué à la pièce suivi du numéro du vers.

abysmé : effondré, naufragé, XIV -3, 18

achoison : occasion, V -2, 94

accoisez : calmés, I -25, 3

accort : habile, subtil, XVI -1, 46 (Cotgr. « circumspect ; also willie, subtil, cunning »)

advanture (verbe) : *s'advanture de* : se met à, V -2, 178

advantureux : téméraire, V -2, 40

advenir (adv. d'emploi adjectival) : à venir, V -1, 45 ; V -2, 72 ; 75, etc.

aele, ælle : aile, V -1, 238, 286 ; XIV -1, 12 ; XIV -10, 13, etc.

ælé, aellé : ailé, V -1, 424 ; XVII -5, 5

affection : passion, XVI -1, 5 ; XVI -3, 41 ; XVII -1, 16 – affectation, XVI -3, 9

affondrer : faire tomber au fond, Ia, 54 ; V -1, 328

agencée : disposée, V -1, 390

aguette : guette, XV -2, 3.

aigre-dous (subst.) : caractère mêlant l'amertume à la suavité, XVII -1, 2

aigrement : amèrement, I -22, 37

aigreur : amertume, âpreté, I -30, 12 ; XIV -7, 40 ; XV -4, 10 (Cotgrave : Sharpnesse, tartnesse, eagernesse, sowernesse)

ains : mais, I -26, 53 ; V -1, 44 ; XIV -3, 40, etc.

aise (adj.) : content (de), XVIII -2, 18

al(l)armes : prises d'armes, XVI -4, 1 ; XVIII -5, 1 ; XIX -4, 13, etc.

alentour de : autour de, XIV -7, 36

allenter : adoucir, Ib, 46

alterer : dénaturer, rendre malade, XIV -4, 5 ; XV -4, 10 ; XVI -1, 22 ; 40, etc. (Cotgr. « to alter, change, turne from what it was ») ; *alteré* (de) : assoiffé de, XIV -11, 28

amassée : rassemblée, V -1, 47

amorce : appât, appas, XIV -2, 1 ; XVI -1, 11 ; XVII -1, 12, etc.
  – *prendre amorce* : prendre feu, I -24, 10

amortit : fait cesser, I -30, 56

anda (exclamat.) : allez, XIV -9, 9

angulaire : anguleuse, Ia, 221

animer : inciter, exciter, XIV -13, 40 ; XVI -1, 2 ; XVIII -5, 1 ;
  animé : doté de la vie, ragaillardi, XVI -4, 20

apertement : visiblement, V -2, 63

apparences : phénomènes (météorologiques), V -1, titre

apparoistre : se manifester (phénomène céleste), V -1, 77

apprises de : au courant de, XIV -7, 5

ardant : lumineux, V -1, 291, 412, 568, etc.

ardeur : luminosité, V -1, 146 ; 574

ardoir : brûler, rayonner, I -27, 36 ; *ard* (3e pers. sg. ind. prés de), XIV -7, 48

arene : sable, I -23, 60 ; XVII -1, 180

arresté : fixé, V -1, 468 ; XV -9, 2

arroy : constitution, état, I -29, 45

asseurance : sécurité, XIX -2, 85

asseurément : avec certitude, V -2, 228 ; 230 ; 236 ; XIV -1, 43, etc.

asseurer : confirmer, affirmer une qualité, XIX -1, 3 ; rassurer, XIX -2, 37 ; *asseuré* : –1er sens : sûr, en sûreté, V -1, 29 ; 180 ; 315 ; XIV -7, 30 – 2e sens : qui confère la sécurité, certain, V -2, 61 ; 225, etc. ; *s'asseurer* : se prémunir, V -2, 126 ; *s'asseurer de :* vérifier, V -2, 212

assiet (s') : se pose, XIV -10, 14

assis : situé, V -1, 53

assister (à) : soutenir, XVIII -2, 66

attirant : séduisant, XIV -7, 71

attraine : amène avec soi, V -2, 50

attrister : abattre, V -2, 198 ; XVI -1, 37

authoriser : mettre en valeur, donner autorité à, XIV -2, 28 ; XIV -14, 23

avalé : attiré vers le bas V -1, 330

avancer : faire progresser, XI -7, 2 – *avancé* : qui a progressé, XI -6, 13

avant : en première place, XVI -2, 2

avette : abeille, XIX -2, 69

bafouez : ligotés, Ib, 28

bagner : baigner, V -1, 110

ballancée : équilibrée, V -1, 48

basme : baume, parfum, XIV -1, 90

bat (vb. intrans.) : tape, Ia, 113

bat (subst.) : battement de paupières, Ia, 143

baye : baliverne, mystification, XVII -1, 27

beau (adj. substantivé) : beauté, XIV -1, 83 ; XVII -1, 184

bechevet : tête bèche, les pieds de l'un près de la tête de l'autre et réciproquement, V -1, 59

benin : favorable, bienveillant, I -30, 53 ; V -1, 9, 174, 599 ; V -2, 60, etc. ; gracieux, XVI -1, 242

bessons : jumeaux, V -1, 301

biaiser : traverser obliquement, V -1, 580

blandices : ruses, XIV -7, 90

bouchent (les esprits) : provoquent l'évanouissement en interrompant la circulation des esprits animaux, I -27, 15

boufée : épaisse mèche de cheveux (mèche *gonflée*), XVII -1, 114

bouge (se) : bouge, change de direction, V -1, 43

bouillant (subst.) : étendue bouillonnante, XVII -1, 175

boulverser : renverser, XIX -2, 45

bourbe : bourbier, XV -2, 10

bouter (se) : se pousser violemment, V -2, 199

bran (exclamat.) : merde, XIV -8, 1

bransler : brandir, V -1, 175

brassée : largeur des bras étendus, V -1, 123

brave : fier, XVI -3, 3 ; XVIII -4, 2 ; XIX -2, 68

braver (de) : mettre au défi par, I -28, 8

brigade : troupe, V -2, 153

brigantes : de brigand, XVII -1, 88

brisées : traces qu'on suit (branches disposées par le veneur sur les traces d'un animal), XVII -1, 13

brouillas : brouillard, Ia, 174 ; I -22, 68

bruineux : plein de bruine, Ib, 65

çà bas : ici-bas, V -1, 223 ; 267 ; XVII -1, 22

camusettes : au nez plat, XV -4, 2 ; XIX -2, 68

captivent : rendent esclaves, XIX -1, 12

caresse : bon accueil, V -1, 246 ; XI -4, 3 ; XI -6, 8

caresser : faire bon accueil à, XIV -9, 5, 13

carriere : 1) route, cheminement, I -23, 6 ; I -30, 5 ; V -1, 289, 416 – *courir sa carriere* : s'écouler – 2) parcours fermé, disposé pour les exercices d'équitation (Cotgrave : « high way, … ; any exercice or place for exercice on horseback ; as a horse-race or a place for horses to run in), XVI -1, 43 ; XVI -3, 19 ; XVI -4, 6

caut : avisé, rusé, XIV -4, 8 (Cotgrave : craftie, subtile, wilie…
   advised, circunspect)

cautelle : ruse, XIV -2, 21

cave : creux, XVIII -2, 19

cavées : creusées, Ia, 213

celé : caché, I -21, 10 ; V -1, 64, et *passim*

celle : cette, XV -7, 13

cerche : recherche, XIV -13, 31

cervelle (mettre en) : émouvoir, obséder, XIV -4, 36

cest(e) : cet, cette, *passim*

changeoit : métamorphosait, I -22, 3

chante : crie (souris), V -2, 219

chapeau : couronne, XIV -2, 16 ; XIV -10, 11, etc.

chapelets : petites couronnes, XIV -3, 57

charme : pratique magique, XV -1, 2 ; sortilège, XIV -4, 38 ;
   XVI -3, 24, etc.

charmer : ensorceler, XVI -1, 13 ; XVII -1, 114

chastaigner : châtain, , XV -8, 6

chef : tête, I -22, 14 ; XIV -10, 11

chenu : blanc, XVIII -3, 21 ; d'un blanc lumineux, XIX -2, 88

chetif : infortuné, V -1, 122, 394 ; V -2, 56 ; XIV -3, 19, etc.

chevance : possessions, subsistance, I -28, 9

choir : tomber, I -22, 80

cil : celui, V -1, 120 ; V -2, 44 ; XIV -7, 20, etc.

cliner : incliner, V -1, 331

coche : char, V -2, 69

cœur : courage, I -30, 60

co(n)gnoistre, co(n)gneu : connaître, connu, V -1, 138, 345 ;
   V -2, 74 ; *passim*.

colere : humeur bilieuse, accès de désespoir, I -28, 11

compassée : bâtie au compas, V -1, 370

compagnable : avenant, V -1, 186

complainte : plainte, Ib, 43 ; XIV -13, 40

conferant : comparant, V -2, 238

confire en : transformer en, I -22, 7 ; XVII -5, 8

conjurer : associer, Ib, 42 – maudire, XIV -12, 25

conquester : conquérir, XVI -3, 22

consomme : brûle, XV -3, 13 ; consume, I -24, 12

conte (orthogr. courante) : compte (*faire compte de* : tenir compte de), V -29, 7

contenter (intr.) : être quitte, se considérer comme vengé, XIX -5, 9

contre-abordant : prenant à revers, V -1, 521

contre-imitant : imitant, I -22, 71

contrefaire : représenter par l'art à l'imitation de nature, Ia, 186

contreval : vers l'aval, Ib, 5 ; V -1, 420

corail : verrou, V -1, 383

cordelle : cordon, piège, XIV -2, 22

cornu : de la même substance que les cornes des ruminants, V -1, 420

coulant (subst.) : cours, V -1, 85

coulent : passent, XIV -5, 3

coup (au) : d'un seul coup, V -2, 237

coupeau : colline, V -1, 431

courage : humeur, XIV -10, 50

courriere : messagère, I -22, 34 ; I -23, 3

couverte : cachée, I -24, 19

couverture : abri, endroit couvert, V -2, 210

coy (adv.) : tranquillement, I -22, 29 – *de pié coy* : de pied ferme, XVI -4, 6

crespant : bouclant, frisant, I -27, 9

crespe (subst.) : tissu fin légèrement plissé, métaphore pour *cheveux*, XV -5, 9 ; XVI -4, 14

crespelée : bouclée, frisée, XIV -7, 74

crespillons : boucles, XVII -1, 114

crestez : hérissés, XVIII -3, 14

crimineux : criminel, XVIII -2, 13

crin : cheveux, I -22, 16 ; V -1, 176

croise : marque d'une croix, XIV -5, 27

croistre (transitif) : augmenter, accroître, XIV -10, 5

cruellement : jusqu'au sang, XIV -10, 40

cuider : croire, XIV -1, 33

curée (boyaux en curée) : boyaux prêts à être livrés aux chiens, Ib, 34

decevoir : tromper, XIV -1, 31 ; *decevant,* XIV -12, 10

dechausser : enlever la terre au pied d'un arbre, V -1, 21

déchet : déclin, I -24, 21

declos : ouvert, XIV -1, 6 ; 30 ; *décloses,* XIV -7, 78

décocher (absolument) : décocher des flèches, XVI -2, 47

découvers : évidents, V -2, 63

dedans : dans, V -1, 192, 193 ; XIV -10, 61, etc.

défermant : ouvrant, XIX -2, 78

degoiser : chanter à plein gosier, XIV -3, 51

dehallez : exténués, Ib, 33

departant : distribuant, I -23, 23

de(s)pite : dépitée, frustrée, Ib, 32 ; I -27, 10 ; V -1, 281 ; XVIII -2, 82

dernier : (adv.) en dernier lieu, V -1, 30

desastre : malédiction, I -26, 9 ; XVII -1, 79

descharpir : défaire un tissu, détricoter, Ia, 161

despiteuse : qui provoque le dépit, XIV -1, 1

desplaisir : vive douleur, XIV -4, 19

dessain : composition, création, XV -16, 1

dessous : sous, V -1, 298 ; 440 ; 542, etc.

dessus : sur, V -1, 101 ; 109 ; 204 ; XIV -10, 71, etc.

de travers (préposition) : à travers, V -1, 107
devalisée : privée de munitions, XVII -1, 146
devant (prép.) : avant, V -2, 114
devers : vers, envers, V -1, 286 ; XIX -2, 28
dévoye : fait sortir du droit chemin, XIV -4, 12
diamantine : dure comme le diamant, XVII -1, 214
die (1ᵉ pers. sg. subj. prés. du vb. *dire*) : dise, XIV -9, 1
directement : à angle droit, V -1, 53
discord : discorde, V -1, 197
discours (de la vie) : cours, XVIII -3, 2
distile : coule, XIV -3, 74 – *se distile*, I -26, 41
distraire (se) : se séparer, Ia, 158 ; *distrait (de)* : détourné de, XVII -1, 103
divers : sujet à des variations, XIV -11, 10
doleance : deuil, XVIII -2, 64
donne : *leur teste se donne* : ils font des mouvements de tête menaçants, V -2, 142
doucement : hypocritement, de façon invisible, XIV -9, 8 ; XIV -10, 22
doucereux : doux, XIV -1, 72
doucettement : avec douceur, XIV -10, 16
douloir (se) : se lamenter, V -1, 388 ; XIV -13, 46
dressant : projetant, programmant, V -1, 85
droitement : en droite ligne, V -1, 94 ; 109
durant : durable, XIV -2, 51
dur(e)tez : indurations (symptômes de maladie), I -25, 14 ; I -30, 58

eclairer : luire, V -1, 582
elancez : languissants, XV -4, 9
élangourée : dolente, I -22, 6
emailler : colorer vivement, Ia, 140 ; XIV -10, 7

embler : combler, XIV -7, 85 ; faire disparaître, XIV -1, 4

embrunissez : assombrissez, XIV -3, 4

émouvoir (à) : conduire à, XV -3, 7

empennez : munis d'une plume, XVI -1, 21

empieta : saisit dans ses serres, XIV -12, 15

emplomba : alourdit par un alliage de plomb (lors de la trempe), XIX -1, 24

emprise : entreprise, V -1, 35, 68

emprist (3ᵉ pers. sg. ind. passé simple) : entreprit, XVIII -4, 51

enaigrir : exacerber, XIX -6, 4 ; *en aigrist* (s') : s'exaspère, XIV -13, 22

enchante : ensorcelle, XIX -1, 26

encontre (préposition) : contre, V -1, 280

encores que : bien que, V -1, 190

enferrer : pourvoir d'un fer, d'une pointe (*flèche*), XVII -1, 97 ; XIX -1, 23 ; frapper (avec une arme blanche), XVII -1, 167

enflammaison : inflammation, Ia, 32

engraver : graver, V -1, 188, 402 ; XIV -12, 12

enlevé : sculpté en relief, XIV -3, 33

ennuy : douleur, peine, XIV -3, 25

enrouillé : rouillé, détérioré, XVIII -3, 30 ; XIX -1, 19

ensemblément : ensemble, V -1, 56 ; V -2, 235

ensuyvante (adj.) : suivante, V -2, 99

enté : coincé, solidement appuyé, V -2, 191

entorce : (*donner l'*) : faire chuter, XIV -2, 2

entour : bord, XIV -10, 17

entrecourant : parsemant, étalant sur, Ia, 170

entresuite : alternance, I -23, 27

entresuyvant (s') : se succédant, V -1, 112

entretien : soutien, principe de permanence, V -1, 218 ; XVI -1, 18

épics : épis, XIX -2, 70

épris : allumé, XV -3, 10 ; *esprise*, XV -3, 14

erreur : égarement, déviance, XVI -3, 37

és, ès : dans les, V -1, 61, 109

escarmoucher : attaquer, XVIII -4, 10

eschange : métamorphose, XVII -1, 161

eschangement : métamorphose, I -23, 29 ; XVII -1, 148

eschanger : métamorphoser, XIV -12, 4

eschaugette : guérite de guetteur bâtie dans un rempart, affût, XIV -10, 57

escheoir : se produire, I -27, 35

esclarcy : clair, V -1, 392

esclate : brille (a de l'éclat), I -28, 26

esclaver : rendre esclave, XIV -2, 3

escouler : se perdre, disparaître, V -2, 86

escumeux : à la surface semblable à l'écume, Ia, 44

esgaye (s') : se déplace, V -2, 219

esjouir (s') : se réjouir, V -2, 149 ; 167

eslire (+ infinitif) : décider de, XVIII -2, 55

eslites : choisies, Ib, 71

espais (adj. subst.) : épaisseur, XIX -2, 89

espaisseur (d'espaisseur) : dans la masse, Ia, 94 ; 102 ; I -22, 65

espanchant : étendant, V -1, 122

espandre : déverser, darder, V -1, 138 ; 290 ; 550 ; 556, etc. – *espandus* : écartés, V -1, 161

esperer : attendre, parfois avec angoisse, V -1, 583 ; V -2, 159 ; 211

espine : colonne vertébrale, V -1, 98

espoind : piqué, vivement frappé, XIV -4, 22

espreignant : exprimant, essorant, I -22, 67

essort (haut à l'essort) : qui gagne de la hauteur dès son envol, XIV -2, 69

estoc : pointe, V -1, 274

estoffées : tapissées, XIV -3, 54

estoilant : présentant des étoiles, XVII -1, 45

estoilée (lumière) : devenue aussi faible que celle des étoiles, I -22, 22

estoileuse : formée d'étoiles, I -29, 29

estomacs : poitrines, XVII -1, 44

estrain : herbe sèche (Cotgr. « straw, litter, fodder of straw »), V -2, 166

estrange : étranger, XIX -2, 50

estranger : bannir, repousser, XIV -2, 76 ; XVII -1, 99 ; métamorphoser, I -22, 42

évantillons : souffles légers comme ceux d'un éventail (métonymie), XVII -1, 116

evente : adoucit, rafraîchit, XIV -3, 62 (Cotgr. « to give breath, to give air ») – *évente* : confie au vent, donne libre cours à, XV -7, 5

evolé : papillonnant, inconsistant XVII -1, 20

exercer (s') : se mettre en peine, V -2, 35

façon : manière d'agir, XVII -1, 145 ; *façons* : campagnes de travail, V -2, 95

faits : arrivés à la perfection, XVI -3, 6

fangeas : bourbier, XV -2, 12

fantasie : faculté de l'imagination, XI -1, 17

farouche : féroce, XIX -4, 10

fasché : désespéré, XIV -10, 32

fa(s)cheux(se) : pénible, désespérant, V -1, 531 ; X -2, 22 ; XIV -4, 19, etc. (Cotgrave : « Offensive, troublesome, tedious, importunate, irksome, loathsome… »)

fatal : instrument du destin, du *fatum*, I -22, 30 ; V -1, 269

faux (2ᵉ pers. sing. impérat. de *faillir*) : manquer, V -1, 552

faux (adj.) : traître, XVIII -2, 78

favorise (du verbe *favorir*) : est favorable à, XVI -3, 31 ;
  favorisez (impératif) : marquez votre amour pour, XVIII -3, 6
feinte : représentation fictive, XI -1, 41
fiché : fixé, V -1, 23, 44
fielleuse : amère, XIV -10, 59
fier : féroce, épouvantable, V -1, 160 ; 384 ; V -2, 207 ; XV -4,
  12, etc. (Cotgrave : « Fierce, eager, bloodie, cruell, savage,
  inhumane… »)
fierement : férocement, Ib, 8
fil (de droit fil), XVI -3, 21 ; XVI -4, 5 : voir *rompre ; sur le fil* :
  au cours de, XVII -1, 92
filandres : défauts en formes de filet, Ia, 174
filet : petit fil, XVIII -2, 72
fin (mettre à) : mener à bien, XVI -3, 32
finissoit : était en train de mourir, XIV -1, 60
fleurage (collectif) : fleurs, XIV -5, 1
fleurant : odorant, V -1, 66 ; XVII -5, 10
foiblet : un peu faible, I -25, 7 ; I -26, 8 ; XVI -4, 3
fontaine : source, I -26, 4 ; I -31, 62 ; XIV -2, 61
fontainieres : qui président aux sources, I -26, 19
force : *à force de* : en s'acharnant avec, V -2, 138
forcenée : folle, XVII -1, 178
forcer (se) : se démener, V -1, 383 ; forcé : violenté, XVIII -2,
  76
forcere : forçat, XVII -1, 4
fortunal : tempête, V -2, 51
foule (*en*, expression militaire) : au milieu de la mêlée, XVI -1,
  43 ; XVI -3, 19 ; cf. t. II, p. 28, v. 71
foulé : fatigué, XV -1, 36
fouteaux : hêtres, XV -4, 2
frais : fraîcheur, I -31, 24
franc (de) : à l'abri de, protégé contre, I -31, 68

fray : frottement (cf. lat. *fricare*), Ia, 177 ; 186

fretillard : turbulent, vif, XIV -14, 5

friant : gourmand, XVI -1, 11

froissant : choquant violemment, V -1, 125

fureur : folie, violence, I -30, 13 ; XVIII -2, 38

furie : folie, XVII -1, 100

furieux : fou, I -22, 3

gauchere : gauche, V -1, 333

gemmeux : formé de gemmes, Ia, 3 ; 22 ; 180 ; 224, etc.

gent (subst.) : engeance, V -1, 235

gent (adj.) : charmant, V -2, 181 ; XI -1, 50 ; XIV -7, 81, etc.

gentil(e ; le) : noble, charmant, bien venu, V -1, 156, 295, 414 ;
      XVI -2, 11 ; 12, etc.

gesne : torture, XVIII -2, 48

gesnez : mis à la torture, XVII -1, 10

glace : surface d'une pierre traillée, Ia, 104

glenné : glané, Ia, 221

glueuse : glaireuse, Ia, 76

gravois : gravier, Ia, 75 ; I -28, 40

grenus : chargés de grains, V -1, 308 ; XIX -2, 70

griefve : lourde, pénible, XIV -14, 14

grossette : charnue, XIV -1, 77

guindoit : guidait, I -22, 24

hale : fondrière, XV -2, 10

haleinemens : souffles, V -1, 312

hallez : desséchés, I -30, 62

haste : fait fuir, V -1, 606

hastez : rapides, fréquents, I -25, 16

hautain : haut, V -1, 430 ; noble, XVIII -3, 3

hayant : haïssant (part. prés. de *haïr*), XVII -1, 127

heur : bonheur, V -2, 139 ; XVI -3, 30, XVII -1, 4, etc.
honneste : honorable, XV -6, 9
huis : porte, XVIII -2, 36
humain : de caractère doux, XIV -2, 64
humeur : toute sorte de liquide, V -1, 595 ; XV -1, 3, etc. –
    XIV -2, 62 : degré d'humidité (du sol)

illà : là, XIV -8, 2
image (masculin) : figure, V -1, 113 ; portrait, statue, XVIII -2, 54
imagere : créatrice de formes, XIX -1, 16
imparfaite : inachevée, V -1, 418
imployable : inflexible, Ib, 12 ; XIV -13, 23
importable : insupportable, V -2, 145
industrie : habileté, technique, XIV -4, 13
incoupable : innocent, Ib, 35
industrieux : inventif, sophistiqué, XVIII -2, 39
injure : mauvais coup, XIV -10, 37
influs : influence astrale, Ia, 6
infelicité : infortune, I -28, 3
insigne : remarquable, V -1, 450 ; 585
inspire : insuffle, XVII -1, 54
irritez : en fureur, V -1, 247
issant : sortant, V -2, 223

ja : déjà, I -31, 40 ; XVIII -3, 11
jacquet : personnage de comédie dont le rôle est de paraître
    aimé à la place d'un autre (« chandelier » de Musset),
    XIV -9, 9
jazardes : bavardes, bruissantes, V -1, 428
joinct : jointure, V -1, 339
journalier : qui reparaît chaque jour, XIV -3, 23
juste : harmonieuse, V -1, 407

justement : équitablement, V -1, 222 ; exactement, V -1, 370 ; 476

labeur : labour, V -2, 95 ; 140 ; 207
lamentable : pitoyable, Ib, 36
lamenter (trans.) : se lamenter sur, I -26, 35
lamperon : lampe, V -2, 78
larmoyable : lamentable, XVIII -3, 28
larronnesse : voleuse, XIV -1, 74
lente : langoureuse, molle (lumière), V -1, 602 ; (voix), XIV -10, 54 ; XIV -14, 11 – visqueuse (*espaisseur*), Ia, 62
liqueurs : liquides, V -1, 428
locher : bouger, branler, V -1, 45
long-bruyante : dont le bruit résonne au loin, XVII -1, 57
lors : alors, V -1, 261
luisante : qui luit, V -2, 114 ; 154
lumiere (latin cicéronien : *lux*) : vie, XVIII -3, 24
lunatiq : épileptique, I -27, 40

main à main : corps à corps, XVIII -4, 30
maligne : méchante, V -1, 235
malseure : peu assurée, XVI -3, 12
manne : humeur tombant sur les feuilles avec la rosée, XIV -1, 23 ; XIV -3, 73
marine : étendue de la mer, Ia, 145 ; XIV -13, 31 ; XVII -1, 57 ; 174, etc.
marinier (*adj.*) : marin, lié à la mer, Ib, 27 ; V -2, 42
marque : emblème, V -1, 128
martelle : martyrise, casse, XIV -3, 60
mattois : rusé, perfide, XVI -1, 9
mechante : de mauvaise nature, V -1, 258
meche (*fig.*) : engin destiné à provoquer l'explosion, XVII -1, 98

mechef : malheur, XIX -2, 6

melancholiq : qui souffre d'un excès de bile noire, I -27, 39

mercy : pitié, XIV -13, 21

mesle (se) : se plonge, V -2, 201

mesmes : surtout, I -30, 24

mesnage : ménage (vie de famille), I -25, 17 ; activité journalière, répartition du travail, XIX -2, 80

mesnagere : activement prévoyante, bonne ménagère, I -23, 99 ; I -26, 23 ; XIX -2, 76

mesurez : cadencés, Ia, 18

meu (part. pass. pasif de *mouvoir*) : poussé à, ému, Ia, 7 ; Ib, 46 ; I -28, 11

meurdre : meurtre, I -31, 64 ; XVIII -2, 16

meurdriere : meurtrière, Ib, 28 ; 56 ; V -1, 274, etc.

mignard : tendre (sans connotation dépréciative), XVI -2, 397 ; XIV -1, 62, etc. (*mignars*, XV -5, 4 ; XVI -2, 18)

mignon : favori, XVI -1, 17 – délicat : XIV -2, 68 ; (*subst.*) XIV -10, 51

miniere : mine, I -31, 34

mipartissant : divisant en deux, V -2, 8

modeste : modéré, raisonnable, XVII -1, 157 ; XIX -4, 11

mol : doux, souple, Ia, 135 ; Ib, 2

mollasse : assez mou, Ia, 79

mollcment : doucement, I -25, 3

mollet (diminutif de *mol*) : tendre, souple, XIV -3, 52 ; XI -4, 2

moreaux : chevaux noirs, I -23, 5

morne : abattu, XVIII -3, 33

mors : morsure, I -30, 55

mouceaux : moucherons (métaphore grecque désignant des étincelles), V -2, 78

mouvoir (*inf. subst.*) : le fait de mettre en mouvement, Ia, 134 ; I -26, 66 ; V -1, 42

muable : variable, XIV -2, 50
mutin : déchaîné, V -2, 19 ; XV -7, 12 – incontrôlable, XVI -1, 10
my-cavées : creusées à demi, V -1, 206

naïve : naturelle, authentique, originale, Ia, 142 ; 176 ; 194 ; 205
navrer : blesser, I -22, 49 ; XIV -10, 40 ; XVIII -2, 75, etc.
nay : graphie pour *né*, XV -9, 2
nazeaux : bords d'une lampe à huile (d'après le grec), V -2, 77
nette : pure, XVI -3, 39
nocher : matelot, batelier, V -1, 80, 207, 326 ; XV -4, 13, etc.
noüer : nager, XVII -1, 121, 176 ; XVIII -2, 88
nourrir : éduquer, V -1, 68
nouveau : extraordinaire, V -1, 263, 541 ; V -2, 224, etc. – récent, XVI -4, 1
nuiteux (se) : qu'on trouve de nuit, Ib, 40 ; I -31, 6

œillader : jeter le regard sur, I -22, 10
offenser : gâter, endommager, blesser, V -2, 152 ; 164
ombrageux : qui fait de l'ombre, I -30, 55
ombre (masc.) : XVIII -2, 67
ombreux : qui fait de l'ombre, I a, 171
onc, onq, on(c)ques : jamais, I -22, 30 ; I -28, 5 ; XIV -2, 1, etc.
ondelets : ondulés, V -1, 395
ondez : fournis en eau, ou formant des vagues, V -1, 422
ondoyer : s'écouler, XVIII -2, 44 ; *ondoyez* : ondulés, formant des vagues, XIV -3, 70
or, ores : maintenant, V -1, 259 ; XVII -1, 25
ores (or, or') que : bien que, V -1, 250, 484 ; XIV -4, 8 ; XVI -4, 3, etc.
outrageux : malfaisants, XVII -1, 176
ou(l)tre : au-delà, loin, V -1, 568 ; de plus, V -2, 161
outre en outre (d') : de part en part, Ia, 68

outré : outragé, I -22, 5 ; XVIII -2, 75

outrecuidez : présomptueux, I -31, 30

paistre : nourrir, XVII -1, 83 ; XVII -5, 7 ; XIX -1, 8 ; *paissant,*
    I -22, 7 ; *paist,* AXXVII -5, 13 ; *paissoit,* XIV -12, 26

pallissante : faisant pâlir, V -1, 198 ; blèmissant, V -1, 207

parer : protéger, , XIV -4, 10

paresse, parest : paraisse, paraît (voir *paroir*), V -1, 440 ;
    XVIII -2, 3

paresseux : qui tarde à se produire, XVIII -2, 30

paroir (*paroist, paroissant, paroissent*) : être visible, V -1, 163,
    484 ; V -2, 249 ; XVI -3, 33, etc.

part : endroit, secteur, V -1, 100 ; 111, 389, 447

partir : partager ; *partis* : répartis, V -2, 11 ; *partie* : sectionnée,
    V -2, 65

pas (prendre sur le pas) : attaquer sans sommation, V -2, 55 ;
    combat offert par un chevalier à tout venant, XVIII -3, 26

passager (adj.) : volage, XVI -1, 10

pavillons : tentes, Ib, 40

peint : coloré, Ia, 102 ; 151 ; I -22, 55 ; I -25, 11

peinturé : coloré, V -1, 286, 511

pellucide : diaphane, Ia, 49 ; I -28, 35

pendante (latinisme) : escarpée, XIV -3, 8

pendre (de) : dépendre de, XVIII -2, 71

perd : détruit, V -1, 597

petit (un) : un peu, I -23, 56 ; V -1, 546

pilleresse : voleuse, XIV -1, 73

pip(p)er : tromper, Ia, 211 ; I -22, 89 ; XIV -4, 17 ; XV -4, 6

piperie : tromperie, XIV -8, 4

pipeur : trompeur, , XVI -1, 9 ; XIV -12, 24 – *piperesses,*
    XVI -1, 12

piteux : digne de pitié, I -29, 45

plain : surface plane, Ia, 155

plain(t) : plainte, Ib, 26 ; V -1, 399

pleuroit (+ prop. infinit.) : déplorait le fait que, V -1, 231

plus : de plus, V -2, 73

ply : repli, progression sinueuse, XVIII -3, 9

poindre : blesser (*poind*), XIV -11, 26 ; (*poignans*, XV -2, 3), etc.

poinct (*estre bien en poinct*) : avoir une belle présentation, XVI -3, 23 – (être *hors de son poinct*) : ne pas se trouver en un moment favorable ; XIV -2, 72 ; (*se mettre en poinct*) : se disposer à, XV -1, 10 ; *le poinct qu'on ne demande point :* la suprême faveur de la femme aimée, XIV -11, 33

pointure : blessure, XIV -10, 65 ; XVII -1, 78

poison (*féminin*), XIV -10, 59

porchere : de suidé (de sanglier), XIV -10, 29

poudroyer : saupoudrer, I -31, 58

pource : pour cette raison, V -1, 56, 69

pourprin : de couleur pourpre, Ia, 123 ; 162

pourpris : cour, enclos, V -2, 119

pourprissant : s'empourprant, Ia, 115

pourtant : pour cette raison, V -1, 151 ; 592

pratique : habitude, V -2, 84

pree : pré, V -2, 197

premier(e), (adj. à valeur adverbiale) : en premier lieu, V -1, 30, 428 ; XVI -3, 12 ; XVII -1, 68 ; *la nuict premiere* (latinisme) : le début de la nuit, V -2, 22 ; *la saison premiere :* le printemps, V -2, 100 ; *la liaison premiere :* le lien originel, XVI -1, 19

premier que : avant de, I -27, 17

pres : près de, I -24, 32

presse : foule, V -1, 245

presser : écraser, V -2, 152

preuve : épreuve, I -31, 4

prevenir à : prévoir, V -2, 251

prindrent : forme de *prirent*, V -1, 270 ; *prinsent* (3ᵉ pers. du plur. du sbj. prés. de *prendre*) : *prennent*, XIV -7, 87 ; *print* : prit, XIV -10, 48 ; 53

proprement : exactement, harmonieusement, V -1, 171, 450

proüesse : expérience militaire, XVI -4, 9

providence : prévoyance, Ib, 47 ; omniscience, IX -2, 20

publier : rendre public, I -24, 20

puis ; puis après : ensuite, V -1, 165 ; XIV -8, 8 – parce que, I -26, 10

punaise : qui pue, XV -2, 10

quelque fois : un beau jour, V -2, 59

queux : pierre à aiguiser, Ia, 177 ; 186

quiers : requiers, XIV -13, 21

r'accouplant : accouplant, mariant, XVII -1, 159

radresse : remet sur pieds, remet au travail, V -1, 11

ramasser : coaguler, Ia, 84 ; *ramassez* : formés par un assemblage, V -1, 352

ramée : branchages, XIV -3, 68

rapporte (en) : fait ressembler à, transforme en, V -2, 38

rassiet (se) : se stabilise, Ia, 87

ratelle : rate, I -23, 54

ravissantes : qui dévorent gloutonnement, XVIII -2, 28

rebat : réverbération, I -25, 8

rebouchantes : qui rebondissent sans entamer, XVII -1, 3

reclus : fermé, XIV -1, 40

recouverte : recouvrée, compensée, I -28, 22

recoy : repos, silence, XIV -3, 60

recuire : chauffer à l'excès, brûler, Ib, 31 ; I -21, 60 ; I -28, 29

reflots : masses de cheveux ondulés, XIV -3, 70

refraichissent : réconfortent, XIV -3, 52

refrisé : ondulé comme une chevelure (feuillage), XIV -3, 3

refuit : fuit en sens contraire, V -1, 99

relevé : haut (front), XV -5, 1

remarquer : rendre célèbre, XV -3, 1 ; XIX -3, 1

remonstra : exposa, XIV -10, 36

rempire (se) : s'aggrave, XIV -3, 27

rendurcir : rendre dur, I -30, 50

repaissoit : nourrissait, Ib, 54

ressuyer : essuyer, XIV -10, 49

retors : tordu, V -1, 149

retraire : battre en retraite, I -22, 29 ; se retirer, V -1, 560 ; *se retraire*, V -2, 130

retramer : reconstituer, I -23, 37

retrancher : découper (en différentes parties), organiser, V -1, 18 ; couper, XVII -1, 67 – (*fig.*) : interrompre, V -1, 256

rigueur : dureté, XVII -1, 106

rochade : territoire rocheux, I -24, 25

rompre (absolument) : rompre des lances au tournoi, XVI -2, 6 ; *rompre de droit fil*, XVI -3, 21 : en attaquant sans dériver de sa trajectoire

rond : manège, XVI -4, 6

rond (au rond de) : en se modelant sur la forme de, XIV -10, 8

rongearde : qui mine, qui ronge, Ia, 179 ; XIV -3, 35

rongnons : reins, Ia, 73

rouët : roue, instrument de torture, XVIII -2, 24

rouler : se déplacer, tourner, V -1, 40, 349, 405

rudesse : accueil rude, XV -4, 7

rue (se) : est en rut, V -2, 128

sablons : sables, I -30, 60

sacrer de : honorer par la consacration de, XVII -1, 194-196

sagette : flèche, V -1, 568 ; XIV -10, 58 ; XVIII -2, 11, etc.

saillent : sautent (mouvements des animaux en rut), V -2, 120

sain : en bonnne santé, XIV -4, 8

sans plus : au plus haut point, I -30, 38

sapeur : saveur, Ia, 132

saphistrin : de saphir, Ia, 124 ; (subst.), I -29, 31

sautelant : sautillant, XIV -10, 15

scabreux : raboteux, Ia, 176

scadron : escadron, XV -4, 9

secret (*subst.*) : lieu secret, XIV -10, 75

sejonction : tri, XVII -1, 72

semence : caractère inné, XVI -1, 35

sentiers : cheminements, routes, V -1, 41

serpentine : de serpent, I -30, 54

serre (adv.) : en captivité, XIV -7, 33

serrément : étroitement, solidement, V -1, 44

service : esclavage (métaphore pour le dévouement à la Dame), XIV -11, 8 ; XV -3, 3, etc.

servir : être esclave (par métaphore) de la Dame, XV -4, 2 et 5

serviteur : esclave (par métaphore) de la Dame, XIV -9, 12 ; XV I-1, 50 ; XVI -2, 20, etc.

seulet : seul, V -2, 204 ; XIV -7, 11, 62

seur : sûr, V -1, 398

seurement : en sécurité, V -1, 71

si : pourtant, V -1, 419 ; XIV -1, 43 ; XIV -11, 11, etc. ; *et si*, XIX -6, 9 ; *mais si* : et pourtant, XV -4, 7 ; XIX -4, 7 ; *si très :* tellement (pour introduire une consécutive), XIV -13, 35

sillonnoit : labourait, traçait des sillons, V -1, 213

simplesse : naturel, XIV -3, 11

sine : signe, XIX -5, 10

soigneux, songneux (se) : sérieux, attentif, V -2, 42 ; 217 ; 239 ; XIV -1, 57, etc.

songer : rêver, XIV -7, 22

sonne : proclame, répète, V -2, 29

sonneur : héraut, I -23, 8

soucieux : qui cause des soucis, XIV -3, 25

soufflant : respirant, I -30, 27

souleurs : terreurs subites, Ib, 41 ; I -29, 39

souloir : avoir coutume de, V -1, 229 ; XIV -1, 8, 36, etc.

soupiral : évent, XV -2, 11

soupirer : exhaler dans un soupir, XIV -1, 19 ; XIV -7, 45 ; XV -5, 3, etc. – (après) : aspirer à, XIV -4, 23

sourcilleux (se) : orgueilleux, rébarbatif, I -24, 27 ; XIV -1, 2 ; XIV -2, 75 ; XV -4, 14, etc.

sourgeon : ruisselet issu d'une source, XIV -2, 60 (Cotgrave, « the spring of a fountaine, or the rising, boyling or spouting up of water in a spring »)

souspirs : respiration, XVI -1, 28

souvenance : souvenir, XV -4, 4

support : renfort, XIV -14, 23

supposé : placé sous, I -31, 12

surattendre : persister à attendre, XIV -5, 5

surnommer : nommer, XIV -10, 27

surpendu : suspendu, XIV -3, 3

surpris (de) : envahi (par), prisonnier (de), XIX -5, 2

sursemé : parsemé en surface, Ia, 176 ; I -29, 26

taillons : morsures de la lime, Ia, 187

tant plus : plus, XIV -2, 50

tant que : jusqu'à ce que, XVIII -2, 44

tant seulement : seulement, I -23, 28 ; 41

tarder (transit.) : retarder, V -2, 194

tardives : lentes à se manifester, XVII -1, 82

targue : bouclier, XVIII -3, 32

tect : abri de troupeau, I -31, 53

temple (masc. ou fém.) : tempe, I -27, 21 ; V -1, 103, 108

tenaillent : torturent, XVII -1, 90

tige (masc.) : tige, XIV -3, 2 – lignée, V -1, 224

tindrent : tinrent, XIV -7, 33

tirant : traçant, V -2, 24

tirassant : tiraillant, Ib, 54

tirer : se hâter, , XV -4, 3 ; *se tirer en* : étendre son pouvoir jusqu'à, XVII -1, 87

torte : formée de brins tordus, XVII -5, 11 ; (*allure*) : sinueuse, I -27, 5

tortice : sinueuse, XIV -2, 54

tortis : tresse, XIV -3, 68 ; XVII -5, 4

tortissant : tordant, V -1, 126

tortument : en sinuosités, V -1, 93

touche (estre à la touche) : être à l'épreuve, subir des attaques, XVII -1, 7

touille (se) : se vautre, V -2, 201

tourner (se) : se déplacer, tourner (en parlant des astres), V -1, 41, 43, 130, 434, V -2, 31 ; se passer, V -2, 64 – : se changer en, I -22, 14

tout (du) : totalement, en tout, V -1, 75, 108, 598 ; absolument pas, V -1, 236

trac : sentier, trace, Ib, 5 ; V -1, 579

trace : sentier, cheminement, V -1, 160, 306 ; V -2, 33

trace (se) : progresse, s'écoule, V -2, 10

tradiment : traîtrise, XVIII -2, 78

trainent (se) : ont leur cours (vont leur train), V -1, 40

traîre : tirer, I -23, 33

transir : mourir, XVIII -2, 19, etc.

travail : supplice, XIV -7, 54 ; XI -4, 7 – tracas, XIV -3, 25

travailler : torturer, V -1, 149 ; XV -1, 16 ; XVI -4, 16, etc. – *travaillé* : fatigué, V -1, 112 ; torturé, XVIII -2, 47

tremper : adoucir, I -30, 12

tressure : coiffure formée de tresses, XIV -2, 5

triste : douloureux, sinistre, V -1, 249, 440 ; XIV -10, 32, etc.

tristesse : douleur, souffrance, V -1, 390, etc.

tromperesses : trompeuses, XVI -1, 11

tronches : troncs, V -1, 206

trop mieux, **trop plus** : beaucoup mieux, beaucoup plus, Ia, 215 ; Ib 21 ; XIV -3, 70 ; XV -6, 13, etc.

trousse : carquois, XVII -1, 146

trousser : agencer, XIV -10, 8

turquois : turc, XIV -10, 44 ; XV -1, 3

vagues : variables (italianisme), V -2, 248

vain : inefficace, XIV -7, 91 ; irréel, XIV -4, 33

vain (en) : en faisant semblant, V -2, 224

vent : souffle, I -27, 15

venteux : qui génère le vent, Ib, 13 ; I -22, 72 ; accompagné de vent, V -2, 41

verdelets : d'un beau vert, XIV -3, 58

verd-gay : vert vif, I -25, 8

vergongneux : honteux, XVIII -3, 4

vertu : puissance, V -1, 597

vesture (prendre) : se revêtir, V -2, 87

vey (du verbe *veoir*) : je vis, XIV -10, 12

viande : nourriture, I -28, 17

violant : qui fait violence à la nature, XVI -1, 21

virer : faire tourner, V -1, 115

viste : rapide, I -23, 3 ; V -1, 415 ; 436 ; 562, etc.

vitrées : transparentes comme verre, Ia, 89

vivement : nettement, V -1, 305 – qui révèle la présence de la
   vie, XIV -3, 34 ; XIX -2, 30
voit à : veille à, surveille, V -2, 86
voyagere (adj. fém.) : qui voyage, V -1, 209, 275
vueille : 3ème pers. du subj. prés. du verbe *vouloir*, V -2, 59
vuide (adj. subst.) : le vide, I -30, 32
vulgaire : simple peuple, V -1, 119

TABLE DES INCIPIT DES NOUVELLES PIÈCES DU T. VI.

TABLE GÉNÉRALE DES INCIPIT DE L'ŒUVRE
POÉTIQUE DE REMY BELLEAU

* L'astérisque marque une pièce signalée comme variante notable d'une autre pièce.

INDEX GÉNÉRAL DES NOMS PROPRES DE L'*ŒUVRE POÉTIQUE* DE REMY BELLEAU

*L'astérisque marque un nom employé dans les premiers vers d'une pièce signalée comme déjà mentionnée dans un tome précédent.

TABLE DES MATIÈRES

Dans la même collection (suite)

21. BELLEAU, Remy. *Œuvres poétiques.* Publiées sous la direction de Guy Demerson. III: *Ode à Nogent* Dictamen metrificum de Bello Huguenatico, *Œuvres diverses de 1565 à 1572* (éd. Guy Demerson et Maurice F. Verdier). 1998.

22. DUBOIS (Sylvius), Jacques. *Introduction à la langue française suivie d'une grammaire (1531)* (éd. Colette Demaizière) (série *Traités sur la langue française* dirigée par Colette Demaizière). 1998.

23. VALOIS, Marguerite de. *Correspondance (1569-1614).* (éd. Éliane Viennot). 1998.

24. MONTEMAYOR, Jorge de. *Les 7 livres de Diane* (éd. Anne Cayuela) (série *Sources espagnoles* dirigée par Mercedes Blanco). 1999.

25. GUEVARA, Antonio de. *Le réveille-matin des courtisans ou Moyens légitimes pour parvenir à la faveur et pour s'y maintenir* (éd. Nathalie Peyrebonne) (série *Sources espagnoles* dirigée par Mercedes Blanco). 1999.

26. BOURBON, Gabrielle de. *Œuvres spirituelles 1510-1516* (éd. Evelyne Berriot-Salvadore). 1999.

27. GARNIER, Robert. *Théâtre complet.* Publié sous la direction de Jean-Dominique Beaudin. V. *La Troade.* Tragédie (éd. Jean-Dominique Beaudin). 1999.

28. GARNIER, Robert. *Théâtre complet.* Publié sous la direction de Jean-Dominique Beaudin. I. *Porcie.* Tragédie (éd. Jean-Claude Ternaux). 1999.

29. GARNIER, Robert. *Théâtre complet.* Publié sous la direction de Jean-Dominique Beaudin. VII. *Les Juifves.* Tragédie (éd. Sabine Lardon). 1999.

30. ESTIENNE, Henri. *Hypomneses* (1582). (éd. Jacques Chomarat). 1999.

31. VALOIS, Marguerite de. *Mémoires et autres écrits, 1574-1614* (éd. Éliane Viennot). 1999.

32. MAGNY, Olivier de. *Œuvres poétiques.* Publiées sous la direction de François Rouget. I: *Amours - Hymne - Gayetez.* 1999.

33. MARGUERITE DE NAVARRE. *Œuvres complètes.* Publiées sous la direction de Nicole Cazauran. I. *Pater Noster* et *Petit Œuvre Dévot* (éd. Sabine Lardon). 2001.

34. MARGUERITE DE NAVARRE. *Œuvres complètes.* Publiées sous la direction de Nicole Cazauran. IX. *La Complainte pour un detenu prisonnier* et *les Chansons spirituelles* (éd. Michèle Clément). 2001.

35. JEAN DE MARCONVILLE. *De la bonté et mauvaistié des femmes* (éd. Richard A. Carr) (série *Éducation féminine* dirigée par Colette H. Winn). 2000.

36. NICOLAS DE HARLAY, sieur de SANCY. *Discours sur l'occurrence de ses affaires* (éd. Gilbert Schrenck). 2000.

37. JEAN GIRARD DE VILLETHIERRY. *La vie des Vierges ou les devoirs et les obligations des Vierges chrétiennes.* Édition de 1714. (éd. Constant Venesoen) (série *Éducation féminine* dirigée par Colette H. Winn). 2000.

38. LE GENDRE, Marie. *L'exercice de l'âme vertueuse* (éd. Colette H. Winn) (série *Éducation féminine* dirigée par Colette H. Winn). 2001.

39. DE L'AUBESPINE, Madeleine. *Cabinet des saines affections* (éd. Colette H. Winn) (série *Éducation féminine* dirigée par Colette H. Winn). 2001.

40. DE LA RAMÉE, Pierre. *Grammaire* (éd. Colette Demaizière) (série *Traités sur la langue française* dirigée par Colette Demaizière). 2001.

Dans la même collection (suite)

Dans la même collection (suite)

Achevé d'imprimer en 2003
à Genève (Suisse)